O ENTREGADOR DE SENTIMENTOS

O ENTREGADOR DE SENTIMENTOS

GABRIEL CHALITA

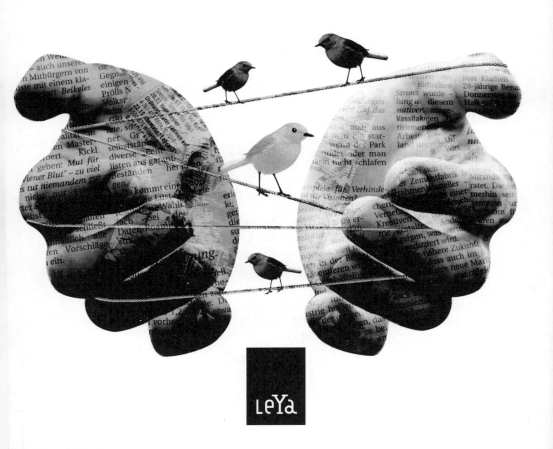

Copyright © 2020 Gabriel Chalita
© 2020 Casa dos Mundos/ LeYa Brasil

Todos os direitos reservados e protegidos pela Lei 9.610, de 19.02.1998.
É proibida a reprodução total ou parcial sem a expressa anuência da editora.

Produção editorial
Natalie Lima

Capa, projeto gráfico e diagramação
Kelson Spalato

Finalização
Filigrana

Dados Internacionais de Catalogação na Publicação (CIP)
Angélica Ilacqua CRB-8/7057

Chalita, Gabriel Benedito Issaac, 1969-
O entregador de sentimentos / Gabriel Chalita. — São Paulo: LeYa, 2020.
224 p.

ISBN 978-65-5643-039-3

1. Crônicas brasileiras 2. Comportamento 3. Filosofia I. Título

20-2637 CDD B869.8

Índices para catálogo sistemático:
1. Crônicas brasileiras

LeYa é um selo editorial da empresa Casa dos Mundos.

Todos os direitos reservados à
CASA DOS MUNDOS PRODUÇÃO
EDITORIAL E GAMES LTDA
R. Avanhandava, 133, cj21 - Bela Vista
01310-200 - São Paulo - SP

Para minha Anisse, que partiu quando eu fazia
as últimas revisões deste livro.
Que permaneceu.
Em mim, sem pausas.

Sumário

Apresentação 11

Sobre a família
   A filha perfeita 14
   A valentia de Eduardo 17
   O baile de Isadora..19
   Uma rosa nasceu...21
   Sobre a ingratidão 24
   O tempo e os tempos 27
   Minha mulher tem Alzheimer 30
   Não sou a minha irmã 33
   Carta para minha mãe 36
   O primeiro pedaço 38
   Dois irmãos...41
   Consertador de destinos..43
   Sobre meu filho 46
   Minhas duas mães..49
   Formatura do meu filho 52
   Briga de irmão..55
   Os dias frios e os dias quentes.............................58
   Um amor além das ausências 61
   A irmã morte 63
   Francisco pai, Francisco filho...............................66
   Sobre minha filha...69
   Aniversário do meu pai...72
   Comi a saudade 75
   Rasgo na alma...77
   Chegada e partida 80
   Domingo de Páscoa..83

Um dia, em um lago 86

Minha filha 89

Silencioso aniversário 92

Obrigado, mãe! 95

Sobre o amor e, às vezes, a dor

Melancolia 99

A riqueza de Carlos 102

Lágrimas milagrosas 104

O perfume de Yasmin 106

O apagar das luzes 108

Algum encontro 110

Uma manhã de Carnaval 112

Penhorei meu desejo 114

É tarde demais 116

O entregador de sentimentos 118

Na simplicidade, Deus 121

Tenho medo de mim 124

Em uma festa de São João 127

Respeite minha memória 130

Alma arranhada 132

Janelas do mundo 135

Memórias construídas 138

Felicidade é verbo 141

O despedir do dia 144

Para onde olho 147

Sobre a amizade

A sabedoria de Lygia 151

Bibi Ferreira, imortal 154

Ignácio de Loyola Brandão – O menino e seu interior 156

Morreu um poeta..158

A despedida do olhar...160

Canção da pausa súbita (um vírus silencioso)................163

O vírus da separação...165

O vírus do encontro 168

Estou em casa..171

Sobre alguns outros sentimentos

O nascer da esperança 175

O dia da saudade...178

Um dia de sol 181

Os irracionais 183

É quase Natal – 2018 185

É quase Natal – 2019 188

Quem criou a lama? 191

Frutos podres 194

O comprador de verdades 196

Seja bem-vindo, 2020 199

Pedaços de bondade 202

Lavando as ideias 205

As cinzas de todo dia 208

Anjos de escola 211

Devolvam meu sorriso 214

Recordar...217

Sobre a mentira e a verdade...219

Apresentação

Aqui estão algumas crônicas publicadas (em especial, no jornal *O Dia*) que expressam o encantamento dos cotidianos. Sou um humilde observador das gentes e dos seus mundos internos, transbordados em encontros sempre únicos. O humano e os seus sentimentos. O humano é essencialmente um depositário e um entregador de sentimentos.

SOBRE A FAMÍLIA

A filha perfeita

A aluna pediu ao professor que revisasse sua prova. O professor o fez. Sentou-se com ela e foi explicando a razão de uma nota que não era, de fato, desprezível. Com os erros devidamente apontados, a menina, aluna universitária, olhos lacrimejantes, começou a menear a cabeça, reprovando a si mesma. O professor quis entender a razão daquela dor: "Oito é uma boa nota. E as notas são instrumentos que nos ajudam a perceber erros e acertos, evoluções. É um diagnóstico, apenas. O que houve? Por que essa angústia?"

A jovem sentiu confiança. Era a primeira prova daquele professor, que ela admirava. Com a manga da blusa, enxugou os olhos. Claudicante nos termos, explicou sem explicar: "Meu pai".

O professor esperou algum complemento. Depois de uma pausa mais prolongada do que o necessário, insistiu: "O que tem o seu pai?" A menina olhou para algum lugar que, certamente, seria o lugar do desconforto e voltou a lacrimejar. O professor esperou. Não perguntaria mais. Era preciso respeitar os sigilos daquele sentimento.

Ela, entretanto, prosseguiu: "Meu pai diz a todo mundo que eu tiro 10 em todas as provas, foi sempre assim, ele vai ficar decepcionado". Ela parecia querer desenhar mais detalhes daquela relação, mas o choro agora veio sem economias.

O professor aguardou, olhou-a com ternura matinal. Havia disposição e experiência para ajudá-la a encontrar-se naqueles desencontros comuns em relações comuns dentro de casa. "Quer que eu aumente sua nota para você ficar tranquila e poder exibir um 10 para o seu pai? Acha que isso será bom para você?"

A menina surpreendeu-se com a oferta do professor. Ficou em conversa interna querendo pescar alguma resposta.

O professor prosseguiu: "Não acha que tenha chegado a hora de você ajudar o seu pai a perceber que erros e acertos nos compõem? Que você é maior do que as notas que tira?" A menina soltou quase que um murmúrio: "Ele me julga perfeita".

A conversa estendeu-se um pouco mais. Para agradar ao pai, ela mentira muitas vezes. Desde sempre, ele a exibiu para os amigos. Dizia ela os poemas que decorava. Ensaiava fingir-se de doente para não ter que se expor a isso. Dizia o pai que ela era a melhor aluna da sala. Que nunca havia tirado nota diferente de 10. E, agora, ela chegara à universidade e como iria exibir algo diferente na primeira prova?

O professor tentava imaginar aquele pai. Lembrou-se de tantos outros que cobravam dos filhos o que nunca foram. De mentiras em mentiras, fingiam todos uma perfeição que não se encontra nem nos tratados que se espreguiçam nas bibliotecas.

A consciência da falibilidade nos faz mais humanos. O que significa ser o melhor de todos os alunos? Ser tratado pela pecha de genial não ajuda os que têm de aprender a comandar seus destinos. Responsabilidade por nunca errar é um erro. Erramos como necessidade vital. Caímos como consequência de cansaços e escolhas pouco refletidas. E aprendemos. E escolhemos melhor. E prosseguimos em busca de alguma aspiração. Isso, sim, é necessário. Ter uma aspiração, um tema para viver.

O pai não faz o que faz por desgostar da filha. Mas os desgostos que causa são desnecessários. Talvez devesse ele compartilhar as experiências pouco exitosas, as falências tantas que o ensinaram a arte inspiradora dos ressignificados. Lembrou-se aquele professor de um outro pai que exigia que fosse a filha uma juíza de Direito. Sonho que ele nunca conseguira realizar. A filha fracassou, segundo ela mesma. A cobrança era tão grande que os concursos se transformaram em tortura, e ela os repetia, um a um, com a imagem do sonho do pai em sua dolorida mente.

O amor não se esgota nas conquistas, mas na existência. A filha precisa sentir-se amada apenas por ser filha e não pelo imaginário colar com pérolas dos sucessos que o pai projetara. Projetar no outro a própria realização é um erro. O amor aprecia as imperfeições e as acaricia. E as unge com óleos corretos para os preparos necessários nos dias que antecedem a outros que se sucederão em ganhos e perdas.

Pedras há em toda jornada, mas cabe aos pais refletir sobre as próprias exigências e imperfeições para não atingir, com dor irreparável, os seus filhos. Erros por amor também doem.

Aluna e professor se despediram. A nota permaneceria. Anotou ele um sopro de vontade na atitude daquela jovem, o de começar a se libertar das teias que não eram dela. Fácil não seria e sabia disso o professor, mas foi exatamente para esses desentraves que um dia ele sonhou em dedicar os dias a professar, nas salas de aula, sua inegociável crença no ser humano. Com todas as suas imperfeições.

O sol desmaiava, enquanto ele reparava em alguma sombra na aluna que seguia em frente. Era perfeito aquele cenário.

A valentia de Eduardo

Tudo em um hospital. Eduardo tem câncer e luta para reequilibrar o seu organismo e os seus pensamentos. A mãe, sempre presente, exerce a nobilíssima profissão de disfarçar a dor. Sorri o sorriso que encontra em algum esconderijo valente dentro de si e fala sobre o futuro como quem acredita nele. Acompanhados.

Há muitas crianças que conseguem vencer o embate e prosseguir. Eduardo tem um câncer mais agressivo. Não falam muito sobre isso. Não gastam tempo imaginando o tempo que resta. Apenas usufruir o tempo para viver, é isso o que combinaram sem precisar combinar.

Eduardo percebe as pausas da mãe. Por mais que uma cortina de esperança tente desfalcar a verdade, há algo que entra naquele quarto e que os põe a chorar. Algum dito mais carinhoso, algum incômodo na posição devido ao fato de o menino ficar deitado por muito tempo, alguma lembrança do que nunca aconteceu, não tiveram tempo para isso.

Dia desses, Eduardo soltou uma frase ao ser perguntado pela enfermeira se estava doendo, depois de tentativas tantas para encontrar uma veia na tão perfurada pele. Apesar da expressão dizer o contrário, ele foi enfático: "Os valentes suportam a dor". E sorriu o que pôde. E respirou fundo, suportando tudo. A mãe também sorriu. E se levantou. E saiu do quarto como quem pede um vento milagroso, um solavanco num sono, talvez. Poderia ser tudo um sonho, pensa ela com ela mesma. "Poderia acordar e ver o meu filho correndo e brincando e caindo e se lambuzando de alegria. Poderia fazer as contas para as formaturas, as festas, os centímetros de acréscimo à altura de um corpo menino. Poderia ser tudo isso."

Enquanto Fernanda, a mãe, chora no corredor, Eduardo explica para a enfermeira: "Tenho que ser forte por causa dela, ela não está aguentando, coitada". Alcançada a veia, a enfermeira o acaricia. Quantas histórias parecidas ela presencia! Quantas orações ela faz pedindo a cura, pedindo o direito de ampliação da jornada de vidas que começaram a desabrochar. Lembra-se de que ouviu alguma vez que as borboletas vivem apenas um dia. Não tem certeza. Mas não sabe por que lhe vem essa imagem. As asas. O voo. O enfeitar. E o partir.

As crianças enfeitam a vida da enfermeira. E partem. Ela olha o menino, que continua a falar sobre a mãe: "Ela precisa se cuidar, está muito fraquinha". Eduardo está sem cabelos, a pele embranquecida, os olhos fundos, mas há algo que o faz, de fato, valente. Gosta de ouvir histórias e, quando está bem, gosta de contá-las. A avó de Eduardo, que faleceu no ano passado, passava as noites contando histórias ao menino. Ele viajava com os cenários que imaginava, agarrava o que lhe davam para permanecer com as personagens nascidas na sonoridade daquela voz. O menino, já doente, deu forças à mãe: "A vovó foi para um lugar lindo, mamãe. Cheio de vida. Cheio de contadores de histórias. Para onde, um dia, iremos também".

Talvez não tarde para Eduardo partir, talvez algo mude, talvez ele corra as maratonas sonhadas pela mãe... quem sabe o certo sobre o amanhã? O que se sabe é que hoje o menino é um valente, enfrentando a dor e cuidando da mãe, que já perdeu tanto e que teme perder o que de mais valioso tem, seu único filho.

Em uma casa, perto do hospital, um casal briga na decisão de onde passar as festas do fim de ano. Cada um quer uma coisa. O barulho das vozes espanta o som bonito do amor. Criar problemas onde problemas não há é uma das especialidades dos humanos.

A mãe de Eduardo volta ao quarto, encontra o menino com os olhos fechados. Não sabe se está dormindo ou sonhando com as histórias que gosta de ouvir e de viver. O que sabe é que há algo bom no sorriso discreto daquele valente.

O baile de Isadora

Quando pode, Isadora vai ao baile. Quando pode, porque tem ela o dever/prazer de cuidar dos netos. Tem ela as atribuições de abrir e fechar a Igreja e de preparar tudo para que os que buscam oração se sintam acolhidos.

Isadora já completou muitos anos de vida, anos intensos. Enterrou alguns dos seus. Chorou o inconformismo da perda. Em seu coração, Isadora gostaria de que tudo fosse eterno. A felicidade é uma estrela distante de ser compreendida se perdemos quem amamos.

Um filho se foi. O marido, também. E, também, os pais. E a única irmã. Mas há os filhos que restaram. Dois. Um casado e outro solteiro. O casado tem cinco filhos. Netos que enfeitam de aroma a árvore da vida de Isadora.

Gosta Isadora de baile. Dança a dança da amizade com amigos que também sabem viver a vida. Prefere as músicas antigas. No intervalo entre uma dança e outra, enquanto beberica uma bebida qualquer, comenta ela das letras. Cada uma tem uma história. "Tire seu sorriso do caminho / Que eu quero passar com a minha dor." Ela repete a letra para as amigas. E exclama: "Quem foi o gênio que compôs isso?". E prossegue distribuindo vida em potes de sorrisos. E abraços. E cumprimentos com exclamações a quem havia desaparecido e ressurgiu. "O que houve? Faz tempo que você não vem. Que bom que veio!"

E outra canção: "Naquela mesa ele sentava sempre / E me dizia sempre o que é viver melhor / Naquela mesa ele contava histórias…". Isadora para no tempo e viaja para o colo de seu pai. Um contador de histórias, um iluminador de histórias alheias. Como ele gostava dessa canção. Em casa, desde sempre, ele reunia as duas filhas para cantarolar. "Afinado e de bom gosto", diz Isadora para o amigo que ensaia outra dança. O baile vai chegando ao fim. Tudo muito simples, tudo muito saboroso.

O sabor das poucas comidas que alimentam Isadora é percebido no prazer que ela tem em degustar. O presente é um presente. O passado vem, vez em quando, para permitir à saudade que cumpra o seu papel. O futuro será bom, é só isso que ele tem a dizer sobre o amanhã. Já o presente é como um baile com boas músicas, com dançarinos decididos a marcar de alegria cada movimento. Com amigos que sabem que um sorriso desinteressado vale mais que desejos desnecessários sobre um futuro de que nem sabemos.

Quando chega em casa, Isadora, antes de dormir, faz sua oração: "Obrigada, Senhor, por mais um dia, por mais um dia bom". E adormece sorrindo.

Uma rosa nasceu

Minha filha nasceu. Rosa é seu nome. Enfeitar a vida é seu destino.

Olho para a mulher que amo e agradeço. Está linda entre os lençóis do hospital e um travesseiro pouco confortável. Faz um gesto de incômodo sem reclamar. Apenas me olha. Os nossos olhares dizem tanto!

Ainda está com dor, certamente. Mas o olhar nos conduz a tempos que ainda chegarão. Aos que teimam em dizer que o tempo esvazia o balde do amor, tenho a dizer que buscaram em fonte errada. Continuo e continuarei olhando para a mulher que amo com o desejo de eternidade.

Enquanto beijo a menina, viajo pelo tempo do nosso primeiro encontro. Um dia de sol. Um pedido de informação em uma praia de multidão. Como foi que nos vimos? Não sei. Como foi que nos unimos? Quem sabe? O destino existe?

No dia do nosso casamento, quando os meus joelhos beijaram o chão, eu agradeci. Na saída da Igreja, o luar dispensava outras formas de iluminação. E foi assim que prosseguimos.

Rosa era também o nome da minha sogra. Viveu para ver o nosso casamento e depois partiu. A menina é o despertar de amanhãs que nos invade. Corre pela casa anunciando alegria. Ri de coisas simples e ensina que é nelas que deveríamos morar. Sempre.

Gosta de livros e de balas. A preferida é uma de doce de leite que faz com que ela suspire fundo, expressando algum êxtase de prazer. A mãe é comedida. Balas em excesso não fazem bem. Eu sou mais permissivo. Finjo que não vejo e rio. No rio da vida, algumas pequenas distrações não perturbam o curso.

Já havíamos vencido o almoço quando Rosa, olhando-me com olhos pidonhos, pediu a bala. A mãe meneou a cabeça, mas concordou. "Apenas uma", autorizou.

Saímos nós dois. Rosa e eu. Pequenininha de mãos dadas. Os cabelos bem penteados. Uma pulseirinha cor de rosa, um saltitar de compreensão de uma vida nos seus inícios.

Na comunidade em que a violência ainda teima em permanecer, os homens ainda engatinham na arte de compreender a beleza da paz. E, mais uma vez, houve um corre-corre. Peguei minha Rosa no colo e a protegi como pude. Os tiros vinham de onde nem se sabia. Abaixei. Escondi. E ouvi um grito de dor. Uma bala perdida atingiu uma criança. A mãe chorava o choro doído da injusta morte. Mais uma. Mais uma criança partindo prematuramente. Mais uma dor mostrando sua face. Meu Deus. Apertei ainda mais forte a que nasceu com o destino de enfeitar a minha vida e agradeci. Fui com ela abraçar a mãe e o seu luto. Fiz o que pude. Chorei junto.

A mulher que amo veio ao nosso encontro. Preocupada. Chorou tanto. Teve medo de ser sua filha. Teve culpa de pensar assim. Minha filha nos consolava quando, enfim, cumprimentamos o tapete com os nossos corpos. Ficamos assim, no chão. Sem chão. Com vontade de mudar dali. Com vontade de mudar ali.

A mãe da menina que morreu também havia ido comprar uma bala para sua filha. Uma bala que apenas adoça e faz rir.

Rosa, sentada no sofá, nos observava. "Calma, papai, calma, mamãe. Eu vou crescer e vou cuidar de todo mundo. E ninguém mais vai fazer maldade."

Uma brisa de ingenuidade e esperança nos trouxe de volta o riso. Convidei-a com braços a se deitar conosco. No chão da vida. Abraçamo-nos sem nada dizer. E ali mesmo descansamos da realidade.

Um dia, a vida será bela.

Sobre a ingratidão

Tentei acordar. Não pude. Já estava acordado. Tentei imaginar que se tratava de um pesadelo. Era um pesadelo. Meu próprio filho. Abro a janela e o dia está cinzento. Torno a fechar. Prefiro ficar no silêncio do meu cômodo. Incomoda-me o barulho dos pensamentos. Eu jamais faria isso com meu pai. Jamais!

Meu pai morreu há algum tempo. Fui um filho com algumas ausências, lamento por isso. Hoje, estaria mais presente. Mas o tempo não nos avisa quando vai levar quem amamos. Morreu nos meus braços, meu pai.

Meu filho resolveu me interditar. Dinheiro. Não tenho muito, mas ele quer o que tenho. Criou uma teoria de que eu não tenho condições de decidir por mim mesmo. Arrumou testemunhas que nunca visitaram os meus sentimentos, mas que, de mim, falam como se conhecessem todas as minhas intenções.

Busca meu filho o que aquinhoei com tanto esforço. Um pouco veio do meu pai. O resto, acrescentei trabalhando. E é essa a minha história. A dele? Gosta de luxos, de exibicionismos e de pausas. As pausas entre os fazeres aliviam cansaços. As pausas sem os fazeres roubam a vida da vida. E foi assim que eu fui perdendo a admiração. É duro um pai dizer isso. Não posso admirar um filho que diz que não nasceu para o trabalho. Não posso admirar um filho que abraçou a mentira como cúmplice necessária para os seus malfeitos.

O erro foi meu? É assim que percorro meu interior. Culpando-me. Eduquei sem educar? Imaginei ter plantado bondade e aguardado o tempo dos desabrochamentos. E, hoje, ele diz a um e a outro que eu não tenho condições de compreender quem eu sou. Comigo não fala. Tentei contato, até porque é meu filho. A dor dos seus gestos não mata o que nos une. Há uma ponte que não pode ser desfeita, mesmo que o silêncio da ausência a torne deserta.

Minha mulher morreu não faz muito tempo. Ainda no luto de uma perda, perco o que imaginava ser a minha brisa no calor do entardecer. Quantos anos tenho pela frente? Já fiz noventa. Helena ainda estava comigo. Preparou tudo. Surpreendeu-me mais uma vez. E depois se foi. Sem barulhos, deitada ao meu lado. E depois veio ele cumprindo a promessa de retirar de mim o que conseguisse.

Façam as contas. Meu filho não é um jovenzinho rebelde. É um homem desapegado de valores. É quase um velho. Quase, não, é um velho, mais velho do que eu, que ainda sonho.

Abro novamente a janela. E nada. De onde moro, quando não há nuvens potentes, consigo ver o pôr do sol. Helena e eu gostávamos do despedir do dia. Quando não havia sol, nos olhávamos. E pronto. É assim que fazem os girassóis, dizia minha avó, contadora de histórias. "Os girassóis se voltam sempre para o sol. Quando sol não há, eles se viram um para o outro, buscando a energia que ficou", consigo ouvir sua voz.

Tivemos um único filho. Quando remexo as fotos guardadas dentro de mim, tento encontrar onde foi que sua imagem começou a tremer. A mãe chorava o filho que se perdia dia a dia. Falamos disso. Mas era um homem feito. Com suas decisões incorretas e seu destino incerto.

Agora ele me vê como um velho que está demorando para morrer. Quer usar o que um dia seria seu. Não. Nunca pensei em deserdá-lo. É meu único filho. Ele quer, também, a casa.

Disse que eu ficarei mais feliz em um asilo. Que ando muito sozinho. Isso ele diz pela advogada. Não o vejo há algum tempo.

Abro, mais uma vez, a janela. Ah, o sol apareceu. Apareceu um pouco antes de partir. Veio se despedir de mim. Imagino Helena ao meu lado. Mãos dadas comigo.

Em pouco tempo, estaremos juntos novamente. É nisso que acredito. Como será o pôr do sol da eternidade? Haverá girassóis por lá?

O tempo e os tempos

Chegamos ao hospital. Pessoas sentadas aguardando a vez. Pessoas saindo. Pessoas entrando.

Minha mãe olhava-me com confiança e apreensão. Quem gosta de ser submetido a uma cirurgia? Quem gosta de sentir dor?

Suas mãos perderam os movimentos que tantas vezes alimentaram minha vida. Chegava da escola e a encontrava na porta da entrada. Antes de entrar, o abraço cicatrizante com as mãos perfeitas. E a comida que as mãos preparavam. E o adormecer no colo descansador com as mãos dançando cantigas leves nos meus cabelos.

Era assim sempre. Naquele tempo.

O tempo, hoje, é outro. Os tempos de quem tem mais tempo de vida seguem outro movimento. As mãos ficaram cansadas. É preciso reanimá-las.

Entramos.

Os afetos têm poder. Médicos e enfermeiros, quando sabem disso, trazem sopros de alívio ao calor do medo.

Quando minha mãe entrou no centro cirúrgico, um aviso me avisou que somos limitados. Era preciso cultivar o tempo da espera e da confiança e da fé. Tempo demorado, esse da notícia que não chega.

Chegou.

E logo depois chegou ela, a mulher que, primeiro, me ensinou o significado do amor.

Dormia. Acordava. Dizia esperanças. Olhava. E, vagarosamente, me acariciava.

Os movimentos ainda não voltaram como gostaríamos. As dores ainda insistem em permanecer. Mas o sorriso é de quem não desiste.

Ontem, olhou para a fisioterapeuta com gratidão. O tempo da cura é caprichoso. É preciso esperar.

Às vezes, ela se alimenta sozinha; outras, alimento quem sempre me alimentou. Ela sorri. Do seu jeito. Ela reclama. Como sempre. Ela ama como quem compreendeu.

Andar ainda não consegue. Vai conseguir. No tempo certo. O bom é que está comigo. Invertemos os papéis. No tempo de hoje, sou eu que experimento o cuidar.

Ouço histórias. Conto outras. Sua memória é soberana. Corrige alguns detalhes do que digo. Alimenta-me com preciosidades que posso ter esquecido.

Hoje, enquanto tomávamos café, ela falou sobre o tempo. Falou do meu pai, que já se foi. Sorrimos de umas histórias engraçadas. De como se conheceram, do quanto eles eram apaixonados, dos desertos que tiveram de enfrentar. Perderam dois filhos. Dor insuportável, essa. A cena ainda me visita. Na cidade pequena, os sinos choraram tristes. Os passos lentos levaram primeiro um, anos depois, o outro, seus dois filhos. O cemitério fica no alto. De lá se avista a cidade e o rio e a montanha que descansa do outro lado. Descansam eles onde chamam de Paraíso. Cansaram meus pais de conversar com as lágrimas. Mas vieram os filhos do meu irmão. E a alegria explicou que a vida prossegue. E a felicidade persiste à dor.

Hoje, a saudade não corta, conforta. Mais um gole de café. E mais histórias. Sorridente, disse que teve medo quando se casaram. Meu pai teve que esperar alguns dias. Naquele tempo, o amor era paciente, era surpreendente.

Vez em quando, paramos no silêncio. E, depois, prosseguimos. E comemos mais. E ficamos alimentados.

Como não gostar desse tempo?

Minha mulher tem Alzheimer

Saí desgostoso do médico. Sentimentos confusos tomaram conta de mim. Ele tem boa reputação, eu sei disso. Os diplomas que enfeitam sua parede são tantos que eu seria incapaz de memorizar tantos dizeres com tantas assinaturas de tantas instituições diferentes.

Mal examinou minha mulher e foi logo explicando os exames. Ajustou os remédios e partiu para sugerir o que julgou ser o correto. Julgam demais os jovens. "Será difícil cuidar dela", disse ele. "Será melhor arrumar um lugar com profissionais capacitados para isso, que tenham forças, entende?" Não, não entendo. Achou-me, ele, velho para a empreitada?

Odete e eu completamos sessenta anos de casados, fora os três de namoro. São duas vidas que se misturaram, que frequentaram juntas as diversas estações. Desde os primeiros desejos, desde a primeira noite de amor até um amor que se fez terra e que brotou vidas. Tivemos filhos e netos. Um dos netos, apressado, vai nos presentear com o primeiro bisneto, que vai nascer no mês do aniversário de Odete. Nos inícios, viajávamos sozinhos, depois, com as crianças, depois, com as crianças crescidas, depois, sozinhos novamente. Nós e os nossos olhares. Nós e os comentários que fazíamos sobre o que víamos. E depois o deitar junto. E o despertar agradecido. Nós dois e um sentimento revigorado por toques e dizeres.

Disse um "não" lacônico ao médico, mas ele insistiu. Foi como se os diplomas todos penetrassem em seus pulmões para que a voz saísse com mais autoridade: "Daqui a pouco, ela nem irá reconhecer o senhor". Doeu o que ele me disse. Dor necessária, talvez. "Mas eu a reconhecerei, doutor." E ficamos em silêncio. Minha mulher estava sentada ao meu lado. Ela sorriu e descansou a vida em meu ombro. Acariciei os seus cabelos e apertei como pude o seu corpo ao meu.

O médico ficou nos olhando. Disse ainda qualquer coisa que julguei melhor não ouvir. Tive saudades do velho Doutor Darwin, que nos examinava sem pressa e nos compreendia a alma. Ele chegava em casa e sua presença já era suficiente para espantar a doença.

Meu desgosto não é com o jovem médico. Sou professor e sou entusiasta dos que estão descobrindo a vida. Na universidade em que leciono, coleciono histórias de superação, de sensibilidade, de talentos descobertos. Meu desgosto é com a incompreensão. Os apressados falam demais e são descuidados. Não se trata assim uma história de amor. Deixar minha mulher em um canto qualquer para que eu tenha paz. Ora, o que me dá paz é o seu corpo junto ao meu, é o seu cheiro, é o seu toque já perdido em uma memória que vai se desfazendo, mas que ainda me toca.

Quando me levanto e dou um beijo em seu rosto, eu acordo para o fazer. E vou, a passos lentos, para a universidade. E termino o meu trabalho regozijante, sabendo que ela estará em casa, que comeremos juntos, que assistiremos a um filme de mãos dadas. Não importa que ela durma, não importa que ela se perca na história. Estamos juntos.

Pensou ele que seria um peso, para mim, cuidar dela. Um peso? Ora, mudemos o conceito. É um privilégio cuidar da mais linda mulher que já existiu, cuidar da que cuidou para que fosse eu o mais feliz dos homens. Prosseguiremos juntos. Nas estações. Se precisar, choraremos. Se precisar, apenas nos olharemos. Mas juntos. Até a partida. De um ou de outro. Foi assim que escolhemos um dia. Os nossos filhos sempre vêm. E os nossos netos. Mas no silêncio ficamos só nós, deliciosamente nós.

Vou escrever um bilhete pra ela. Deu vontade. Como fiz tantas vezes. Gosto de debulhar sentimentos em palavras que vão obedecendo ao movimento das minhas mãos e que vão tomando corpo. Ela vai ler. E vai gostar. O amor ultrapassa a compreensão.

Não sou a minha irmã

"Perdoe-me, mãe, mas não sou a minha irmã."

Foi essa a frase que eu disse em tom de desabafo. Não, não foi hoje, nem ontem. Faz algum tempo. Faz muito tempo, e por que ainda me lembro? Porque algumas marcas ficam.

Minha irmã era a filha perfeita, pelo menos era assim que parecia ser. Ou era assim que eu me sentia.

Eu não sou mãe. Quis ser, mas fui me distraindo com tantos afazeres que, quando acordei, não era mais possível. Meu marido tem dois filhos do seu primeiro casamento. Quando nos casamos, eram eles bastante crescidos. A mãe morreu há muito e, até hoje, observo que ela faz falta. Como morreu cedo, ficou com a imagem de perfeita. A imperfeita sou eu, mais uma vez.

Minha irmã mais velha era uma aluna exemplar, pelo menos era isso que diziam. Não sei ao certo. A diferença de idade impediu que eu testemunhasse essas tais glórias. Foi pianista. Nunca vi. Mas dizem que, aos quatro anos, tocou para uma plateia atônita. Quando eu nasci, ela tinha onze anos. E nunca a vi tocando. Só uma foto que me irritava pelo lugar de destaque que ocupava.

Casou cedo e teve filhos. Eu demorei a me casar. Ela era mais bonita, disso não há dúvida. Era mais falante. Sempre fui dos cantos. Não. Não tive voz para cantar. Dos cantos silenciosos. Observava, apenas. Ouvi minha mãe dizendo que eu vim por descuido. Eu juro que ouvi. Quando cobrei isso, um dia, ela disse que eu inventei essa história. Que jamais teria dito. Que os pais amam os filhos da mesma maneira. Que eu era a caçula. Que, no máximo, pode ter dito que eu não havia sido programada, mas que, quando soube que estava grávida, ficou muito feliz. Não tenho tanta certeza disso.

Só sei que sempre sofri com as comparações. Frases ditas como "Sua irmã nunca nos deu trabalho", "Veja sua irmã, ela sempre conseguiu", "Por que você não faz como sua irmã?".

Os filhos do meu marido me chamam de tia. Eram crescidos quando nos casamos, já disse isso. Mas conheço outras crianças que chamam a mãe, que não é mãe, de mãe. Por que não fazem assim comigo? Por que não sou tão perfeita?

Meu marido diz que cada um é cada um. Diz quando cobro que ele fala com muito amor da que se foi. Ela era mais bonita do que eu. Sei disso pelas fotos. Viveram juntos por dezoito anos. E ele está comigo há mais de vinte. Então, deveria gostar mais de mim do que dela. Um dia, cometi a insensatez de dizer isso à minha irmã. Ela me olhou com a superioridade dos que se julgam sãos. Havia sido apenas um desabafo.

Um dos filhos do meu marido foi o orador da sua turma. Com os pensamentos marejados, depois dos agradecimentos de praxe e dos ditos sobre o futuro, meneou a cabeça, permitiu um brilhar comovente nos olhos e falou da mãe que ali não estava, que ali estava. A mãe permanecia dentro dele. Confesso que compreendi, mas que sofri por ser apenas tia.

Os filhos da minha irmã não foram oradores das suas turmas. Não sei por que digo isso. Se eu tivesse tido filhos, eu os trataria da mesma maneira e não cobraria deles perfeição alguma. Eu os amaria apenas.

Não quero ser injusta. Talvez minha mãe tenha me amado. Talvez os meninos me amem. Mas por que, então, não me sinto amada? O que me falta? Meu marido é um bom homem. Gostamos um da companhia do outro. Nossas conversas não nos cansam, como pode acontecer com o acúmulo de tempo. Ele me surpreende com presentes surpreendentes. Mas, vez ou outra, eu sinto que ele só faz isso porque a outra faleceu. Outro erro. Falei isso para minha irmã e ela, a perfeita, sem sensibilidade alguma, respondeu: "Claro, se a outra não tivesse morrido, ele não teria se casado com você. Quer mais chá?". Fiquei em silêncio. Por que não? Como ela sabe? Se ela não tivesse morrido, ele poderia ter percebido as suas imperfeições. E perguntar se eu queria mais chá, no meio dos meus desatinos, é não gostar de mim. Minha irmã não gosta de mim. Sinto isso. Só convivo com ela porque preciso. Preciso? Aliás, não sei por que convivo. Ela teima em contar histórias dos seus sucessos e de falar do amor que sempre teve. E eu fico ouvindo. É o que me resta.

Os pais não fazem por mal. Mas se soubessem o estrago que fazem quando comparam os filhos!

Tenho uma foto com minha mãe na cabeceira da minha cama. Será que, de onde ela está, ela sabe o quanto eu a amo?

Carta para minha mãe

Mãe, é seu dia.
Todo dia é seu.

Há um cordão que jamais foi cortado. Um cordão que liga os tempos da existência. E que se alimenta da energia do amor.

O amor vive em mim como um candelabro de alma. É possível iluminar se eu estiver disposto. Não poucas vezes me canso. E me prendo em outros fios. E não acendo a vela. E me perco nos escuros. E aí me lembro de você. Do seu colo incandescente de força. E me levanto e recomeço.

Você foi mudando, mãe. E permanecendo. Os anos vão trazendo despedidas. A infância se vai com uma pressa que impressiona. E, assim, as adolescências, os desabrochares, os encantamentos efêmeros. Sua força física também se despede, mãe. Os passos são mais vagarosos. O vigor mora mais na sabedoria que nos braços. E você me abraça. Quanta coisa cabe em um abraço! E você me beija como sempre. E falamos algumas falas antigas e outras que descobrimos recentemente. Tentamos dar um ar de novo ao que novo não mais é. E brincamos de futuros, juntos, permanecidos de afetos.

Você escolheu ser mãe. Você escolhe ser mãe todo dia. Todo dia você compreende as minhas imperfeições e prossegue me amando. E me alivia cansaços. E me lança pensamentos para que eu reconstrua o que se quebrou.

Não há quebraduras em nossa história.

Desde o tempo que me lembro, você celebrou a maternidade. A minha e a dos meus irmãos. Você reclamou a reclamação certa. Sem exageros. Seus cansaços eram espantados com um sorriso nosso. E aí você sorria o sorriso do amor mais puro. Amor de mãe.

Do seio ao colo. Do colo ao engatinhar. Do engatinhar ao caminhar. Do caminhar ao voo solo. E você acenando com lágrimas de entendimento. Cada filho tem o dever de descortinar o próprio mundo. De preencher a humanidade com sua humana vocação. De cantar o canto que você ensinou.

Sair de casa não é fácil. O ninho é tão bom. Os alimentos que nos robusteceram foram escolhidos um a um por você. E por meu pai. Gratidão à família que me gerou. Saudade do tempo, de todos os tempos vividos. Gratidão, mais uma vez.

O amanhã está batendo à nossa porta, mãe. Só peço que você permaneça comigo para que possamos receber juntos o que vem. Assim fico mais seguro. Assim respiro a felicidade com mais garantia.

Mãe, é seu dia.
Todo dia é seu.
É demais repetir "eu te amo"?
"Eu te amo, mãe", com todas as experiências do passado, com toda a certeza do presente, com os medos e as esperanças pelo que virá.
Eu te amo, mãe.

O primeiro pedaço

Quando o Nelson era vivo, era fácil. O primeiro pedaço era sempre para ele. E ele fingia surpresa. E ria o sorriso mais lindo que havia no mundo. E me beijava com os lábios lambuzados de bolo. E eu gostava.

O Nelson se foi. E deixou um buraco em mim. Os meus filhos diziam que eu era uma viúva inteira, que logo estaria ocupada com outro amor. Acho até que diziam para ver minha reação. São muito ciumentos os meninos. Mas eu não quis outra experiência. Não. Preferi viver os filhos e os netos. Gosto até de dançar de vez em quando, mas nada de começar tudo de novo. Dá muito trabalho, penso eu.

O fato é que, toda vez que faço aniversário, é esta cobrança: quem vai ganhar o primeiro pedaço do bolo? Para filho, não posso dar. São três. Para as noras, também não. Os netos são sete. Uma amiga deixaria a outra enciumada. Que difícil. Já pensei em dar para a pessoa mais velha ou para a mais jovem, para ter um critério. Já pensei em cortar vários pedaços ao mesmo tempo.

Sou eu mesma quem faz o bolo. Da família toda. Eu gosto da cozinha. Não me importo de alimentar muita gente. Vez ou outra, eles querem comprar em alguma doceria. Eu não deixo. Se quiserem comer na minha casa, vão comer do meu bolo.

Sabe que sempre fui boa em decidir? O Nelson deixava tudo nas minhas mãos. A comida. A roupa que melhor lhe cabia. O dinheiro. As contas que deveriam ser pagas. A última palavra do pedido de um filho. É claro que conversávamos, mas ele me olhava com tamanha docilidade e só queria que eu me sentisse dona da situação. E era visível que ele gostava disso.

"Sua mãe resolve", "É ela que sabe", "Meu amor, o que você decidir está bom".

Não sou de ficar choramingando pelos cantos. O passado foi lindo, mas passou. O tempo já escorregou de meus desejos muitas vezes. E eu não pude segurar. O Nelson tinha o costume de caminhar comigo segurando no meu braço. Eu gostava. Era como se eu fosse o seu suporte. Nos últimos dias, seu caminhar era vagaroso. Ele pressentia que o último caminhar se aproximava. Mas não reclamava. Apenas olhava agradecido por ter tanto amor por perto.

Não poucas vezes, consolava amigos em luto lembrando que a morte é uma certeza indiscutível. Sobre o que viria depois, ele pouco falava, apenas confiava. Meu marido sempre foi um homem de muita fé.

Lá estou eu no passado novamente. Mas como não manusear as fotos mais lindas da minha vida? Estão em mim. Inteiras. Ontem mesmo, fiquei deitada em uma almofada que ele me deu com um escrito de amor. Gostaria de estar deitada no colo dele, como tantas vezes.

E o bolo? Ofereço a quem o primeiro pedaço? Não gosto de rasurar afetos. Sempre cuidei para que os três filhos se sentissem amados. Exatamente isso, não basta aos pais que amem os seus filhos, é preciso que eles sintam esse amor, senão correrão o risco de mendigar amor pela vida. Em casa, nos meus erros e acertos, amor nunca faltou.

Talvez dê o primeiro pedaço para a Carminha, que perdeu o marido há pouco. Exatamente. Um pedaço de ternura para aquecer a falta que ele vai fazer. Nos inícios, é muito difícil. Depois, também. Mas a gente se acostuma e prossegue. Consolei Carminha como pude. Do meu jeito. De falar pouco e abraçar o necessário. Era de presença que ela precisava. Disse que ainda não estava em clima de festa, mas que viria ao meu aniversário, que iria fazer bem. As outras vão entender.

Vou usar um vestido azul que o Nelson me deu. Ainda me lembro de suas palavras na loja, ainda me lembro do seu olhar. E eu, timidamente, experimentando para ele decidir. "Você é a mulher mais linda do mundo, qualquer vestido fica bom." Na época, ralhei com ele. E decidi que ele havia decidido. O azul.

O céu está lindo hoje. Como é bom viver. Se eu pudesse, começaria tudo de novo, mas, como disse, o tempo é arredio e não volta. Fazer o quê?

Dois irmãos

Faz tempo que aconteceu. Mas até mesmo o tempo fica, quando o que fica faz tão bem.

Faz bem lembrar, revisitar o que fiz de bem. E o que ficou por fazer. Longe de mim a miragem da perfeição. O barro de que sou feito tem saliências, tem quebraduras, tem remendos. Mas está em pé, como deve ser. E caminha. Sempre caminhou.

Eram dois irmãos. Eu os conhecia. A cidade era pequena. Os nomes e apelidos estavam em nós. E os cumprimentos. E os encontros. Um bar ali, uma feira com o seu vendedor de pastel, uma partida de futebol em um dos dois times da cidade, um mergulho de rio.

Havia um beco que guardava mistérios. Não sei por que me lembrei disso agora. Mas, na infância, eu tinha medo. Diziam que os mortos se encontravam ali. Eu, que sempre gostei de cemitério, evitava o beco.

O tempo foi golpeando e vencendo e voltei à cidade, depois de me formar em Direito. Era um jovem advogado em busca de seus primeiros consertos. Queria consertar o mundo!

Jerônimo foi preso. Não importam aqui as razões. Foi preso. E, na prisão, foi convencido de que seu irmão, José, era o responsável. Fui estar com ele. Abraçou-me entre grades. Chorou o choro dos injustiçados. Jurou vingança. Ouvi. Prometi defendê-lo. Falou-me da vergonha e do irmão que o vendeu como traficante. Ouvi novamente. E, novamente, me fiz compreensivo.

Saí e voltei outro dia com os argumentos que usaria. Entregou-me ele uma carta, fechada, para o irmão. Chorava de ódio. Pediu que eu lesse, se quisesse. Nada disse. Mas quando saí, li a carta. Era um desabafo de ódios e acusações. Resolvi guardar a carta. Rompantes precisam ser depurados.

Dois dias depois, ele estava solto. E o irmão foi abraçá-lo. Choraram juntos o choro do amor. Não havia culpados. Havia uma praga chamada injustiça que vem e atrapalha. Jerônimo me olhava com curiosidade. Esperou o irmão sair de perto e quis saber. Eu disse que não havia entregado a carta. Que achei melhor esperar. Ele repousou e, em um abraço agradecido, suspirou aliviado. Pediu que eu a rasgasse, que a queimasse. E disse algo como "injustiças geram injustiças". Cegou-se ele na prisão e deixou de ver o quanto o irmão era bom.

Outras histórias surgiram na minha vida, naturalmente. Nunca fui de soprar querosene em fogo, sou do aconchego. Sou respeitador do tempo e amigo das calmarias. Elas chegam, é só ter paciência.

Nunca mais os vi. Mudei-me para a grande cidade e, aqui, permaneci. Mas, em mim, permanecem essas histórias. Ainda me comovem. Lembro-me dos erros, certamente. E tento aprender. Mas o que me emociona são histórias que a minha história ajudou a amar.

Jerônimo. José. Nomes sagrados. Os segredos são importantes. Há muita pressa em revelações. Nunca disse nada a ninguém. Queimei a carta. Guardei o ensinamento. Aumentar a dor não é meu ofício. Nunca. Nasci para os alívios, por isso gosto de envelhecer. O passado não me atormenta e o futuro ainda existe.

Consertador de destinos

Meu filho caiu. Crianças caem com alguma frequência. E choram. E se levantam. E se esquecem da queda. E riem. E algazarram o dia. Mas a queda foi maior e mais dolorida do que as quedas da rotina. Sua expressão de dor doeu em mim. Seu choro calou forte em mim. Dirão alguns que é por ser meu primeiro filho. Meu único filho. Dirão que eu exagero nos cuidados que organizo. Não importa. O que importa é que o bracinho sem movimento, o olhar buscando alívio, o choro incontinente exigiam de mim ação.

Fui com ele ao hospital. Um braço quebrado e nada mais. Nada que não possa ser consertado. Pessoas gentis espantaram a minha aflição. Dá gosto ver médico que gosta de ser médico, enfermeiro que gosta de ser enfermeiro. Dá gosto ver gente que gosta de ser gente e que gosta de gente. Nos tumultos do hospital, encontrei alívio.

Leo, meu filho, tem apenas dois anos. Minha mulher viajou a trabalho. Estávamos apenas nós dois quando ele caiu. Meus pais moram longe.

Enquanto Leo chorava, um futuro passou por mim. Não sei por que fiquei imaginando os crescimentos necessários, as despedidas, as quedas de corpo e de alma, as cicatrizes. Ser pai é um ato de coragem. Há muitos amigos que resolveram não ter filhos. Por medo, talvez. Por apreensão com o amanhã. Mara e eu planejamos três filhos. Há ainda dois para chegar. Sou filho único, aliás, deveríamos ser dois. Meu irmão morreu aos dois anos. Atropelado. O dia se ajoelhou junto com os meus pais e chorou. Não foi justo. Não é justo. Se meu irmão ainda estivesse vivo...

Leo leva o nome do tio que se foi sem quase ter chegado. Quem decide isso? Tem dia de morrer? Ou os atropelamentos antecipam a partida? Sou engenheiro de profissão. Gosto de consertar. Se eu pudesse, seria consertador de destinos.

Minha mulher diz que eu sofro muito com o sofrimento dos outros. Conheci o sofrimento e dele me tornei amigo, quando ainda nem entendia das amizades. O choro da minha mãe antecipava a chegada do dia. Foram anos de desconsolo. Meu pai espantava a dor para ser o seu apoio. História linda, a dos dois. O tempo foi nos convencendo a prosseguir. E a saudade se colocou no lugar do desespero.

Quando meu filho nasceu, minha mãe brincou com a noite. E brindou a vida de um jeito tão delicado. Quando soube do nome do meu filho, me deu o abraço dos agradecidos. Partidas e chegadas. Foi dizendo que demorou a compreender que a morte não era mais forte do que o amor, que o seu filho prosseguiria com ela para sempre. Olhou ao longe e depois voltou. E rimos do que ainda iríamos viver.

Demorei a falar sobre o atropelamento, porque eu estava junto. Ele me seguiu. Eu, dois anos mais velho. Quando vi, não vi mais. Só o barulho e o silêncio.

Meu filho silenciou do choro. E dorme com um bracinho inerte e o outro me tocando o peito. A confiança ilumina a vida. Observo o seu sono e imagino o seu sonho. Com o que sonham as crianças? Os pensamentos da noite se escondem de mim. É o sono chegando. É o respirar em paz do meu filho que me convida a desligar o dia. Tudo está bem. Tudo acaba ficando bem, quando compreendemos. O tempo é um bom professor. A memória nos cumula de aprendizados, de lembranças que embalam o futuro. Aprendemos com o ontem para acender o amanhã.

Amanhã, meu filho vai acordar bem. Vai reclamar do braço imobilizado, vai chorar algum choro e vai querer brincar comigo.

Amanhã, minha mulher volta de viagem. Gosto da saudade. A despedida incomoda, mas a chegada compensa.

Amanhã, vou pensar melhor nesta história, consertador de destinos. E vou fazer o que é possível dentro da engenharia da vida. Boa noite.

Sobre meu filho

Ele foi chegando como quem chega sabendo o que quer. E foi dizendo dizeres que se atropelavam de tanta alegria. Eu desconfio da alegria. Sou precavido. Mas amo meu filho com a determinação de vasculhar em mim qualquer sentimento que, por ventura, esteja faltando. No silêncio do mundo, me aquietei para contemplar aqueles olhos pidonchos.

E lá vem a descrição de algum paraíso da natureza. De onde o sol se comove com os que o abraçam e fica até quando o dia avisa que tem de partir. Falou das águas e dos seus banhos. Do ir e vir de seus sons. De pássaros que rasgam os céus explicando para onde se deve olhar. E disse dos amigos que já emaranhavam desejos com planejamentos.

"Eu quero ir, pai. Todo mundo da minha classe vai." Parei. Pensei. E disse nada.

Ele insistiu. Eu insisti comigo para ver onde arrumaria dinheiro antes de qualquer resposta.

Ele voltou ao que havia dito com ainda mais expressão. Como dizer "não" a um filho tão bom? Como dizer "sim", se não há de onde fazer brotar os recursos?

Meu filho estuda em uma escola de endinheirados. Tem bolsa. Jamais poderia pagar. Faço o que nem posso para que ele festeje o conhecimento. O seu nascer já foi um milagre. A mãe era doente. Mas Deus decidiu nos presentear com um dos enfeites que Ele esparrama pelo mundo a cada criança que nasce. Ele veio, e a mãe, depois de poucos meses, se foi. Jovem se foi a mulher que tanto amei.

Não tenho outros filhos. Não tive o estudo necessário para decidir por mim mesmo. Dependo dos trabalhos que andam escassos. Sei bem o que é sair todo dia em busca de algo melhor. Sei bem o que é chegar em casa e ouvir as perguntas, da minha mãe e do meu filho, se deu certo a entrevista de emprego. Não deu. O que me falta eu tenho. Mas eles não veem. Choro sozinho no invisível do quarto.

Ouço, daqui e dali, que quem quer melhora de vida. Eu quero. E não sou dos que espanam a esperança. Vou adiante.

Recentemente, arrumei uma colocação em uma construtora. Ergo paredes e imagino histórias. Gosto do que faço, mas não ganho para excursões em paraísos. Comida não nos falta. Nem o básico de um crescer na simplicidade.

Os que estudam onde meu filho estuda têm o excesso. Nem sei se é bom. Dou um ou dois presentes para o Lucas, meu filho, por ano. É o que consigo. No mais, conto histórias e brinco com ele de enfeitar o mundo de bondades. E ele foi aprendendo a não exigir mais. E a sorrir com nossas pequenas incursões. Os passeios são no parque, na praça, no campo de futebol, na casa da minha tia, na quermesse. E é isso. Mas a escola resolveu viajar. Posso fazer um empréstimo, talvez? Mas é certo? O certo é dizer a verdade. Dizer o que ele sabe, que somos pobres, que plantamos para um dia colher. Que cultivamos os mais lindos sentimentos, que vivem onde estamos. Não precisamos de Paraíso e temos o sol por aqui também, mesmo que parta mais cedo. E também água, mesmo que não sejam banhos perfeitos. E também pássaros que voam e nos fazem olhar para o alto.

Vou escolher o jeito de dizer. Vou olhar para dentro dele e buscar aceitação. Ficaremos por aqui, no quintal das nossas precariedades, com um pomar cheio de presenças. Há muitos que resolvem as ausências com presentes. Prefiro estar perto. Sempre. Contando quanto falta para o plantio florescer. Arrancando as pragas que aparecem e celebrando a estação das chuvas. E rindo das histórias engraçadas das gentes que moram por aqui. Nós dois gostamos de observar. É um jeito amoroso de saber que cada um tem o seu quinhão de presença no mundo.

No dia em que eu for me encontrar com a mãe dele, histórias de mãos juntas não faltarão.

As lembranças moram nos sentimentos, não nas coisas. Encoste a sua cabeça no meu ombro, meu filho. Vou te contar uma história...

Minhas duas mães

Os relógios são muito intrigantes. Quando querem, se lançam sem ninguém para segurá-los. Não é o caso agora. Eles estão tímidos. Brincando de demorar.

O dia de amanhã está aguardando o dia de hoje ir embora. Para que venha, enfim. Amanhã, vamos para o interior. Minha mãe e eu. Vamos encontrar a minha mãe. A que me gerou. A que me doou.

Já doeu, algumas vezes, pensar que ela criou os outros três filhos. Não faz tempo que sei dessa história. Sabia que era adotado. E adorado.

Minha mãe sempre soube permanecer nos meus vazios. E sempre se esmerou em me fazer compreender que era eu quem devia preenchê-los. A tristeza já me acordou muitas vezes. Hoje, nos fazemos companhia.

Minha mãe me adotou por decisão de vida. Ela quis ser minha mãe. Ela me gerou em seus sentimentos, me gerou em seus sonhos de generosidade. E o tempo foi nos costurando. Somos mãe e filho. Sei disso e disso jamais duvidei.

Soube ela que a mãe que me gerou está de partida. Um irmão meu a encontrou. E conversaram sobre despedidas. Doente, ela sabe do amanhã. Vamos nos ver depois de trinta anos.

Quando minha mãe foi descosturando seus dizeres, eu logo entendi. Por alguns instantes, tive dúvidas. Por que só agora? Por que não convivemos antes? Por que não poderemos conviver por muitos depois? O que ela quer me dizer?

Pedidos de desculpas serão desnecessários. Aprendi a não cobrar explicações. As narrativas são tantas. Quem sabe o que acontece quando algo não acontece? Eu fui o primeiro filho que ela teve. Meu pai não quis ser meu pai. Nem pai de ninguém, pelo que me disseram há pouco. E ela deve ter chorado o desfecho. Certamente. Não sei se saberei os atos e os entreatos. Se compreenderei os ditos e os silêncios. Não sei se se trata de compreender ou de sentir. Houve um outro homem e aí vieram os outros filhos. Então, se já estava normalizado, por que só agora essa procura? Não. Nada de julgamentos.

Choramos juntos, minha mãe e eu. Decidimos juntos conhecer o ontem. Que sentimentos ela teria tido quando soube que eu estava dentro dela? Que dúvidas teve? Houve vozes que a aconselharam a desistir? Vozes que se incumbiram de desencorajar a procura? Vozes e mais vozes nos fundem ou nos confundem. Difícil distinguir.

O vento lá fora assobia frio. Olho o anoitecer e penso nas despedidas. Um dia se despede. Um dia, ela se despediu de mim. Um dia, ela vai se despedir daqui. E também eu. E, antes disso, nos encontraremos e nos despediremos. Ou nos encontraremos outras vezes. Não sei dizer.

A noite está chegando. O escurecer vai dando calmaria ao dia. Não à minha alma. Estou eufórico e temeroso. Queria ter a reação correta. Nada de julgamentos. Queria olhar nos olhos dela e dizer que continuo seu filho. Que ela tenha paz. Queria não chorar. Ou talvez fosse melhorar chorar, não sei. Não chorar pode parecer pouca atenção ao encontro. Pouco derramar de sentimentos.

Minha mãe vai comigo. Também ela deve ter suas questões. Nunca se conheceram. E estão unidas por uma vida. A minha vida. Toda vida importa. Um sopro e estamos aqui preenchendo com o nosso jeito o Universo. Um sopro e partimos.

O vento já não se deixa ouvir. O relógio continua caprichoso. Lento como não se deve em dias como os de hoje. E eu não durmo.

Não quis ver a foto de minha mãe. Não fará diferença. É minha mãe. São minhas duas mães. Cada uma com suas cicatrizes. Cada uma me gerando em um lugar seu, muito seu. Cada uma querendo, no seu tempo, me encontrar.

Amanhã, espero que o dia não seja implicante comigo e não compense a lentidão de hoje. Que seja tudo muito demorado. E que possamos colocar, nos instantes que tivermos, todos os outros tempos que já se foram.

Formatura do meu filho

Chegou hoje o convite. Acabei de abrir. O papel, cuidadosamente escolhido, traz nomes e outros dizeres.

Meus olhos olharam como quiseram. Sem obedecer a um roteiro. Os nomes foram saindo do papel e se sentando ao meu lado. Um a um. As amizades escancaram os mais belos sentimentos. Leves. Profundos.

Meu filho foi crescendo nos enroscos desses enlaces. O físico e o interno. Internaram-se eles na minha casa tantas vezes. Nos inícios, para brincar, para se alimentar do riso dos que ainda têm muito pela frente. Os jovens pouco falam da morte. O que veem é vida. É eternidade. Depois, continuaram a vir para cuidar de roubar sorrisos do Serginho. Ele foi um resistente, um bravo. Enfrentou as cirurgias. Comemorou as curas. Sorriu nas recaídas.

O câncer foi comendo seu corpo jovem. Se eu pudesse, entregaria o meu para deixar que ele prosseguisse. Nos últimos dias, falava pouco. Seus olhos percorriam cada veia da minha dor. Eu sei disso. E, aí, vinha o pouco de palavra: "Mãe, eu estou bem, eu vou ficar bem". E adormecia aquecido na fé.

Eu sei que ele está comigo olhando o convite. Seu nome está em lugar de destaque. Corro novamente os olhos. E choro o choro legítimo da mãe que se vê obrigada a enterrar o seu filho.

Tenho outros dois. Mais velhos. O Serginho era o caçula. Faz só três meses. Ainda não tive forças para arrumar tudo. Arrumei nada. Nem dentro de mim.

Sou forte para os outros, talvez, por uma necessidade de não partilhar tanto a minha dor. Quem gerou fui eu. Quem enterrou também fui eu.

Meu marido chora pelos cantos para que eu não perceba. Tenta ser forte. Nem toda força do mundo seria capaz de resolver. Sei que não somos melhores do que ninguém. Tantas famílias se ajoelham diante da mesma dor.

Mas meu filho não estará na formatura. Ele sonhava ser engenheiro. Quisera eu ter o poder da engenharia do mundo e quisera eu consertar as doenças que maltratam tantas histórias. Não sei se vou à formatura. Eles querem que eu receba flores. Que eu diga algumas palavras. Me chamam de tia.

No meu filho, as flores apenas acentuaram sua beleza. Foi embora sorrindo. Foi triste. É lindo ver os amigos cantando na despedida.

Sinto todos eles comigo. Mas não há mais abraços, nem dedos se encontrando na brincadeira de embaralhar os cabelos.

Serginho gostava que eu fingisse procurar alegria em sua cabeça enquanto ele descansava sua pouca idade em meu colo. Depois, pegava o violão e tocava para mim. Seus dedos iam dizendo, em notas, o significado do nosso cordão. E ele cantava. E me fazia cantar com ele. E, assim, o dia se despedia e íamos dormir sabendo que, no outro dia, estaríamos juntos.

Justa a vida não é. Não vou disfarçar e dizer que está tudo bem. Mas quem sabe ele tenha sido inspirado por algo maior quando me disse: "Mãe, eu estou bem, eu vou ficar bem".

Nos dias que ainda me restam, não quero viver de lamúrias, mas hoje quero chorar sem pressa. Olhar esse convite quantas vezes quiser. Ficar no esconderijo de mim mesma, visitando os dias em que estavam todos aqui.

Briga de irmão

Minha mãe tinha o talento de amaciar as conversas, e meu pai era um escultor de gentilezas. Dizem que são os opostos que se atraem, mas, em casa, eu via o contrário. Na docilidade dos que me trouxeram ao mundo, fui crescendo e conhecendo o doce e o resto.

O doce estava, também, nas compotas que minha mãe fazia. Meu pai chegava em casa e comia com os olhos o prazer que ela havia preparado. E, depois, se alimentava de tudo. E, antes de se despedir do dia, tomava-a em seus braços para o principal alimento, o amor.

Foi assim que meu irmão e eu passamos as etapas da vida. Até que, um dia, saímos de casa. Ele se casou primeiro. Depois, eu. Depois, meus pais se foram. Em menos de um mês, nos despedimos dos dois. No velório de minha mãe, meu pai se benzia com a serenidade dos que sabiam que o reencontro não seria demorado.

Eu disse que, além do doce, conhecemos o resto. E o resto também faz parte da vida. E o resto desvaloriza a vida.

Alguns anos se passaram depois da orfandade. Deixamos de ser filhos para sermos pais. E irmãos é o que seremos sempre. Até o dia da despedida.

O resto azeda a vida. E foi assim, em uma tarde boba, em uma briga de futebol, em um dissenso, que nos olhamos enfurecidos e nos prometemos distância. Para sempre.

Torcemos para times diferentes que, naquela tarde boba, jogavam. E a falta que houve ou não foi o motivo da falta que até hoje ele me faz. Não me lembro de quem gritou primeiro. Havia outras pessoas. Exaltamo-nos nas ofensas. E eu saí da casa dele trazendo meu filho comigo. Que me olhava em silêncio. Saí falando impropérios contra o tio. Justo eu, que fitava com admiração a serenidade dos meus pais.

Dias depois, eu já havia percebido a desnecessidade da separação. Esperei que meu irmão pensasse o mesmo e que me procurasse. Talvez ele também tenha esperado. Só vou saber hoje. Os dias chegam e partem como uma sinfonia perfeita. Nas pausas, nos desapercebemos do tempo. E o tempo traz acordes que nos acordam para continuar a canção.

A canção sem meu irmão virou solo. Minha mulher ensaiou algum dizer e desistiu. Meu único irmão, tão perto e tão longe. Cheguei a passar pela rua dele, próxima à minha, numerosas vezes, para que nos encontrássemos por acaso e para que tudo voltasse a ser como nos dias em que as compotas de doce de abóbora e de coco e de figo e de leite adoçavam nossa conversa na mesa da cozinha.

Dizem que palavras convencem e que exemplos arrastam. Os exemplos dos nossos pais deveriam nos arrastar para o abraço. Quanta coisa cabe num abraço!

Ontem, quando um novo dia veio me despertar, fiz as contas. Cinco anos de ausência. Nesse tempo, eu o visitei apenas nas ideias, nos pensamentos. Enriqueci-me de tristezas. E tudo pelo amargor da soberba. Julgava eu que era ele quem deveria me procurar. E me pedir desculpas de uma briga que nem lembro como começou.

Antes do dia de ontem, sonhei com os meus pais. Meu pai preparava um chá para aquecer o dia frio. Minha mãe soletrava dizeres com o prazer dos que sabem comer os cheiros. No sonho, eles estavam felizes. E, súbito, entrava meu irmão e sorria para mim. E foi assim que acordei e que contei o tempo. Foi assim que telefonei e foi assim que ele atendeu. Antes do medo do desprezo tomar conta de mim, ele disse que iria me ligar naquele dia. Que a saudade era tanta que era preciso me ver.

Será que ele sonhou também o sonho bonito dos nossos pais? Quem nos acordou desse incômodo?

E marcamos o encontro. Minha mulher ouviu o meu relato e, com algumas lágrimas, enfeitou o seu sentimento. Por que demorei tanto?

Daqui a pouco vamos almoçar. Só nós dois. Nós dois e as lembranças do doce e do resto. E, depois, tudo voltará ao normal. Como deve ser. E, depois, eu quero sonhar de novo e, de novo, revisitar o quentume dos dias em que crescemos.

Na casa dos meus pais, havia fogão a lenha. O fogo demorava para aquecer. Mas, aquecido, nos aquecia com aquelas brasas que brincavam de cantar barulhos. Meu irmão é o que me resta daquele tempo. E, depois do encontro, vou explicar ao meu filho que eu errei. E pedir desculpas por ter me esquecido de viver.

Os dias frios e os dias quentes

Acordei, hoje, de conversa com a saudade. É um dia frio. Um dia estranhamente frio para essa época do ano. As temperaturas estão cada vez mais imprevisíveis. Dizem que há excesso de ação humana no curso da natureza.

As feridas, se lhes mexem muito, também ficam imprevisíveis. E ficam nos lembrando do que nos falta.

Pessoas nos faltam.

Um dia, morreu uma senhora na rua da minha casa. É o primeiro velório de que me lembro. Curioso, quis ir. Meus pais permitiram. E lá fomos nós. Havia choro intercalado com conversas alegres. Quando um parente que morava distante chegava, todo mundo chorava. Depois, o curso dos minutos com um café e algum biscoito.

Meus pais não estavam chorando. Em silêncio, rezavam. Resolvi que eu deveria chorar para representar a família. Fechei os olhos e comecei a imaginar alguma dor. Não me lembro das dores fortes que eu imaginei. Das feridas que surgiram na minha mente. Eu era criança. Só me lembro de que chorei um choro tão doído que virei o centro daquela despedida. As frases para mim eram todas reconfortantes: "Que menino lindo!"; "Nossa, quanta emoção!"; "Como pode uma criança sentir tanto?". Minha mãe chorou junto. Meu pai, também. Fiquei um pouco arrependido depois. Na época, pensava que o choro enterrava a felicidade. E lá se foi o corpo da mulher.

Em casa, falamos nada do ocorrido. Fiquei no meu quarto imaginando a mulher embaixo da terra. E as coisas dela que ficaram na casa. Não eram mais dela. Ela não voltaria mais.

Tive muitas machucaduras na minha vida. Algumas até desejei. Achava bonito ver gente com o braço ou a perna engessada. Queria ter dentes tortos para usar aparelho. Ficava desiludido quando o médico da escola dizia que eu não precisava de óculos. Doente, me davam mais atenção. Então, não era tão ruim. Feridas no corpo de uma criança cicatrizam logo.

Fui a muitos velórios. E chorei sem fazer esforço. Quando meu avô morreu, eu, já adolescente, ficava deitado em sua cama imaginando se um dia o reencontraria. É disso que me lembro nesse dia frio. Talvez porque a alma sinta alguma dor. Como se faz com as feridas da alma? Como se apressa sua cicatrização?

Tenho tudo de que preciso e tenho sempre alguma dor. Pelo que me falta? Por que penso no que me falta? Penso ou desejo? Quando tenho, não sinto que tenho. E depois choro. É assim com todo mundo? Percebi que amava depois da partida. Mais de uma vez. Desejava o fim e, quando o fim chegava, lamentava a falta. E a ferida. E o tempo da cicatrização. Foi assim com a morte de pessoas que amei. Foi assim com a morte do amor de pessoas que não sabia que amei.

O choro faz bem. Aprendi com o tempo. Chorar e agradecer pelo tempo. Onde estivemos juntos. Onde deixaremos de sofrer. O passado foi lindo, pena que demorei a compreender. O futuro existe, quero acreditar nisso. Mas é hoje que vivo. Nesse dia frio. Dias frios também passam. Dias frios talvez existam para que celebremos a chegada do calor. Feridas talvez existam para que nossa alma se enfeite de cicatrizes. É como um mapa dos sentimentos que, se soubermos compreender, nos ensinará como um guardador de saudades.

Acordei, hoje, de conversa com a saudade. Foi o que eu disse quando comecei. Sempre começo e sempre persigo o que falta sabendo que tenho o que tenho. Eu tinha pais que me amavam e perseguia as atenções. Carências de criança. De toda criança. Amadureci, mas permaneci carente. Como toda gente. Compreendi que o choro não enterra a felicidade. Faz parte dela.

Daqui a pouco, meus filhos acordam e vêm brincar comigo. E a conversa muda. A saudade compreende a alegria e parte. E depois volta. Como os dias frios e os dias quentes.

Um amor além das ausências

Ele tem 85 anos e ela, 84. São casados há mais de sessenta. Tiveram filhos, netos. Fizeram viagens. Passeios. Piqueniques, talvez. Trocaram, muitas vezes, palavras de amor. Alguns desentendimentos, é certo. Mas sobreviveram e continuaram juntos. Ela foi diagnosticada, há pouco, com Alzheimer. Ele chorou por dentro, mas decidiu estar presente nas ausências de sua amada.

Ela tem momentos de agressividade e de trancafiamento. Ele está sempre ao seu lado. Foi assim desde o início, por que agora seria diferente? Cuidar de alguém doente não é fácil, principalmente quando se sabe que nunca mais será como foi um dia. Perde-se, pouco a pouco, a memória de tantos momentos. Esvaziam-se histórias lindas e promessas de amanhãs. Médicos. Remédios. Cuidados. O amor é assim. Vai além das ausências. Os filhos não têm a firmeza do pai. Sofrem muito e, embora ajudem, têm suas próprias vidas. O pai está ali, dia após dia. Acariciando. Ouvindo repetidas histórias tantas vezes quantas a mulher quiser contar. E não reclama da sina. Amigos se afastam. Cansam de ver o declínio dos pensamentos. Quem ama fica. Disse-me que, se pudesse escolher uma nova vida, seria ao lado dela. Foram anos de encantamento, de decisões conjuntas, de emoções intensas. Sorrisos permaneceram mais tempo que lágrimas. Uma vida feliz. Agora, é o entardecer. Veio antes do que ele gostaria. E trouxe nuvens cinzentas que anteciparam o pôr do sol. Mas quem decide o que há de acontecer? Quem sabe por que passamos por apertos? Largar é negar o ontem. E foi muito bom.

Assim, eles prosseguem. Juntos. Em um amor além das ausências. Rico em significados. Disse-me que há tristeza em vê-la indo aos poucos. Mas há conforto em saber que tem forças para cuidar de seu amor. Sem lamuriar. Poderia estar vendo futebol, indo a um baile com amigos – há tantos para essa idade, ou a algum bar de esquina. Mas o melhor é estar ao lado dela. É ali que se sente vivo e apaixonado pela mulher que o retirou da multidão e o fez sentir-se essencial. O amor, eis a essência da vida.

A irmã morte

Era Francisco, o santo de Assis, que chamava a morte de irmã. Demorei para entender o que ele queria dizer.

Sou uma mulher de quem o tempo levou muitos sorrisos. Enterrei dois filhos. E, ainda ontem, no cemitério, cobri de flores a saudade que nunca deixou de ser dor. Quando eles morreram, ouvia nada do que me diziam. Vasculhava em mim os barulhos que me tentavam convencer de que não era a morte suficientemente poderosa para pôr fim a um sentimento tão grande.

Saíram os dois, um dia, para ir à escola. Fui eu quem preparou suas coisas. Ele se arrumava sozinho. Já era um homem feito aos quinze anos. Ela pedia minhas mãos para que os cabelos se ajeitassem. E assim se foram. E os últimos beijos no portão de casa. E o toque da campainha. E a notícia do assalto. E o choro mais doído de minha alma.

Eu tive três filhos. Permaneceu comigo a Mirela. E, hoje, sou avó de cinco netos. E não posso dizer que a alegria nunca mais se sentou comigo. Mas tenho que confessar que Miguel e Mariana estão aqui, nos meus pensamentos, todos os dias. Os quartos demoraram para serem arrumados. Minha alma ainda vive o dual dos desarrumos com as novidades que chegaram. Sei quantos anos eles teriam hoje. Imagino como seria a nossa casa, se à mesa não coubesse tanto amor. Não poucas vezes, levo o choro para o interior do quarto e fico a me fazer perguntas.

Sou uma mulher de fé. Mas tenho dúvidas. Indaguei a quem achei que devia onde deviam eles estar. Sei que a morte não é o fim. Há mais do que o visível aos nossos olhos. Há um mistério nas estações. É por isso que o que morre no inverno ressurge pleno na primavera.

Conheço quem não acredita em nada. Antes, eu andava pelo dia escolhendo palavras para insistir que acreditassem. Era o meu jeito de acreditar também. De espantar a lentidão do dia, quando a saudade aumentava o seu volume.

Ouço o barulho dos meus netos e ouço a voz silenciosa dos meus filhos que faltam. Conversei, muitas vezes, com mães que, como eu, enterraram seus filhos. Sorrimos juntas para comum tristeza. Falamos do que faziam. E imaginamos o que não puderam fazer.

Lá se vão quase cinquenta anos sem eles. E o tempo vai me explicando que nos encontraremos em pouco tempo. O tempo da colheita não é o mesmo. Alguns se vão ainda perto do início. Outros cumprem um ciclo maior. Os entendimentos humanos são nada para entender. O que nos compete é viver.

Aos poucos, foi florescendo em mim o que Francisco queria ensinar ao chamar a morte de irmã. Ela existe. Ela virá. Não depende de nós decidir. Depende saber. E, sabendo, viver. A despedida de uma rosa não espanta a sua essência. Ela enfeita enquanto está. E, quando não está, haverá outra rosa a dar delicadeza ao mundo. E é o seu perfume que distrai, inclusive os que não acreditam, das solidões.

A vida é bela. Eu sei disso. E soube reaprender a sorrir. Se vou ao cemitério, é mais por uma tradição. Miguel e Mariana já vivem no amor que nada é capaz de ferir ou desfazer. Mirela deu seus nomes a dois de seus filhos. Fiquei feliz.

Sou uma mulher feliz. Sei dizer o que falta, mas sei celebrar o que me preenche. Nos passos vagarosos de hoje, a lembrança traz mais sorrisos que lágrimas. Eram engraçados aqueles dois. Devem estar rindo juntos ainda.

Se a lágrima é uma delicadeza da dor, o sorriso é um sopro de beleza. Belo é poder lembrar. Lembrar é fazer permanecer. Nunca fui de acumular as maldades que me fizeram. Pouco falo sobre isso. Mas o que foi lindo continua em mim e continuará para sempre. Sou como Francisco, acredito que o fim é uma ideia que só existe na cabeça dos apressados.

Francisco pai, Francisco filho

Foi no dia 4 de outubro, dia de São Francisco, que estes dois me surpreenderam.

Antes da missa, houve um acolhimento. Um aspirante (um jovem que se prepara para ser sacerdote franciscano) percorria a Igreja entregando pequenas flores. A Igreja cantava "Irmãos, minhas irmãs, vamos cantar nesta manhã, pois renasceu mais uma vez a criação nas mãos de Deus / Irmã, flor que mal se abriu, fala do amor que não tem fim, água irmã que nos refaz e sai do chão cantando assim...". Abaixei-me para pegar a pequena flor que caiu do pequeno Francisco. Ele estava em uma cadeira de rodas. Sorria muito. Mexia-se como podia. Pouco. A doença roubara-lhe muitos movimentos. Mas a alegria que brotava dos seus olhos e o esforço para algo conseguir cantarolar deixava o pai orgulhoso.

"É meu filho. Meu lindo filho."

"Estou vendo."

"Chama-se Francisco."

"É um lindo nome."

"Também me chamo Francisco. Meus santos pais souberam escolher."

Apenas sorri. O pai tinha as mãos grossas de um trabalhador acostumado às rudezas. Um chapéu ficava sobre o banco. Um pano grande também estava ali. Depois, vi que ele servia para cobrir a cabeça do filho para percorrem as ruas até a casa. "Moramos aqui perto. Francisco gosta muito de missa", justificou. O filho me olhava. Olhos lindos. Sons difíceis de serem ditos. Cabeça de um lado a outro, com esforço. Eu sorria apenas. A missa estava começando. Olhava para o altar e para os Franciscos. A flor caiu novamente. Eu abaixei para pegar. O pai, também. Ele me autorizou a fazer o gesto e eu a coloquei novamente na cadeira do seu filho, próxima de suas mãos quase imóveis. Ele olhou para mim. Um olhar de gratidão. Olhamo-nos mais um pouco. Quis dizer algo. Ele, também. Decidimos que não era necessário. Era bom estarmos ali. Durante as músicas, dos seus olhos escorriam lágrimas. Olhos do filho. Olhos do pai.

"Somos muito emotivos."

Eu acenei com a cabeça concordando: "Que bonito!".

"Bonito é ser pai. É ser pai do Francisco."

No ofertório, ele tirou algumas moedas e as depositou num cesto que passava. Olhou para mim e explicou: "Gostaria de ter mais para ajudar mais, mas é o que eu posso". O pai falava e o filho olhava. Alguns sons apenas e o sorriso.

A missa terminou. Algumas pessoas vieram conversar comigo. Os dois continuaram ali. Pareciam não ter pressa. O tempo da oração era sagrado. Saímos juntos. Contou-me o pai que o filho nascera vivo graças a um milagre de São Francisco. Com algumas doenças, mas vivo. Com algumas limitações, mas vivo. A mãe já morreu. Há uma outra irmã, mais velha, que vive com eles e os ajuda muito. O pai trabalha de dia. Ela trabalha à noite. É enfermeira. Portanto, sempre há alguém em casa para cuidar de Francisco. Ele disse que experimenta, todos os dias, um prazer único: "Não há preço que pague o sorriso de Francisco, quando abro a porta e entro em casa".

Fiquei imaginando a cena. O cotidiano. O exercício do cuidar. O padre, na missa, havia falado sobre o legado de Francisco de Assis. O santo que nos inspira a viver o amor. "Onde há amor e sabedoria, não há medo nem ignorância."

Enquanto o padre falava, o Francisco pai, sentado, levava o chapéu até o seu peito. E, vez ou outra, passava a mão na cabeça do seu filho, Francisco. O filho sorria, demonstrando gratidão a Deus por ter um pai assim, santo, imaginava eu.

Na saída da Igreja, despedimo-nos. Beijei os dois. Senti tanta paz! Na missa e naquele encontro. Enquanto via aquele homem com o chapéu levando o filho pelas calçadas, fiquei pensando nas minhas lamúrias. Reclamações desnecessárias. A imagem da porta se abrindo e do menino sorrindo sem poder dizer de que gostaria – mas não era necessário, o pai sabia. O sorriso daqueles dois foi um presente do Santo. No seu dia. Para prosseguir. A pequena flor, que algumas vezes caiu, estava nas mãos do pai. Haverá de encontrar algum espaço para deixá-la perfumando o paraíso daqueles dois. Ou melhor, dos três. A irmã chama-se Teresinha. Dia primeiro de outubro, foi dia dela. A santa da delicadeza.

Sobre minha filha

Tenho uma única filha. Nasceu de uma história fugidia de amor. Éramos jovens demais para compreender o que deveríamos ter compreendido. Abandonar as roupas que ontem nos enfeitaram para viver a responsabilidade de dividir. E foi assim que ele se foi, em um vento de medo que levou, avassalador, o que eu tinha até então. Promessas delicadas, entre beijos, foram esquecidas. Noites de amor permaneciam em mim, na memória que vivi ou que construí. Fantasias adolescentes que demoram a se desmanchar. Faz tanto tempo e eu ainda me lembro.

Criei minha filha como pude. Entre inexperiências e decisão, ela foi florescendo. Menina, adolescente, mulher. Tenho um companheiro que gosta mais do silêncio que da participação. É o jeito dele. Mas me faz bem. É bom saber que há alguém. Falo de conquistas rotineiras do trabalho, e ele me escuta. Conto histórias de gente do bairro, e ele acena com a cabeça em sinal de atenção. Vez ou outra, traz alguma notícia. Resumida. Cortada pelo tal silêncio. Tento adivinhar o restante. E ele concorda comigo. Mas não é ele que me preocupa. É minha filha. Há nela uma tristeza que não entendo. Reclama do seu corpo e dos excessos. Come mais do que deve e anda menos do que é necessário para alguém que quer alcançar algum lugar. Estuda por estudar. Faz a faculdade que é mais perto e o curso que é mais curto. Volta logo para casa e se tranca.

Em alguns dias, tenho a sensação de que vivo em um cemitério de emoções. Meu marido olha ao longe e pensa nem sei em quê. Só muda o olhar quando eu passo; aí, ele acompanha os meus movimentos. Minha filha olha para um computador que acorda e adormece em seu colo. Quando peço, ela me ajuda. Sem reclamações nem alegria. Há sempre um pacote de alguma coisa que ela come sem prestar atenção. Mastiga como se mastigasse a dor de estar viva. E é assim que gasta os dias. O que pode uma mãe fazer? Pergunto de namorados e ela desvia. Não me sinto no direito de invadir. Mas sou mãe. Sofro com o seu sofrimento.

No ano que vem, ela se forma. Os trabalhos que faz são nada. Quando era menor, gostava de dizer que nunca se casaria, que viveria comigo para sempre, cicatrizando as minhas dores. Ora, não sei de onde ela aprendeu esse texto. Não sou acumuladora de dores. Trabalho o dia todo, gosto da dança, das conversas de rua, das festas que frequentamos por aqui. Antes, ela ia. Agora, vamos eu e o João. Ele, quieto, mas presente.

Hoje, acordei com a certeza de que ela precisa de um amor. E foi isso que eu lhe disse, quando acordávamos o dia, tomando café. Ela me olhou como se olha alguém que vive da ignorância. "Sou gorda, mãe, quem vai me querer?" E se levantou. Da mesa, apenas; não do cansaço. Fui atrás. Nos abraçamos e choramos juntas. Brinquei nos seus cabelos. Disse elogios. Falei dos encontros necessários. Dos sofrimentos que nós duas vivemos. Nos lembramos da fala da infância. Ela queria aliviar-me as dores. E, hoje, sou eu a tentar abrir a porta. E ela me ouviu. Balançando negativamente a cabeça. E eu insisti que ela falasse. O que quisesse. A dor compartilhada tem mais chance de ir embora. Mas ela prosseguia falando para dentro. O que pode uma mãe fazer, insistia eu, comigo mesma. Proibir a comida em excesso, obrigar a caminhar por outras estradas, espantar o medo do amar? É preciso amar. "Qualquer forma de amor vale a pena", cantarolei.

Quando nasceu, dei a ela o nome de Lúcia. Lúcia vem de luz, me disseram. E ela pode ser iluminadora, ainda, se se levantar. Meu marido se aproxima do quarto e apenas nos olha, perguntando, sem dizer, se precisamos de ajuda. Dizendo, agradeço. Ele se vai e ficamos nós duas. E vou caçando palavras em mim para que ela compreenda que há vida fora das prisões que criamos. E que a chave não depende nem do corpo nem dos outros. Basta uma atitude, pelo menos para os inícios. Eu sei que vamos conseguir, foi o que eu disse. Eu sei que ainda haveremos de rir muito, juntas. Eu não sei como, eu não sei quando, mas eu sei que não vamos desistir. E, então, ela me abraçou por conta própria. E, depois, acariciou o meu rosto. E, depois, me avisou que iria tomar banho. E se levantou, cantarolando a música que lembrei. Não quero ser precipitada, mas alguma coisa acendeu em mim a esperança de que os dias que virão, depois de hoje, serão melhores.

Aniversário do meu pai

É mais um dia de aniversário. E ele não está. Já se foi há algum tempo. Meu pai não mora comigo, nem em casa nenhuma. Mora onde moram aqueles que esculpiram vidas com a própria vida. Era ele um cuidador de gentes. Se há moradas na casa do Pai, preparadas para quem amou, é lá que ele está. E é aqui, também. Em um turbilhão de recordações. De ditos que ainda ecoam dentro de mim.

Sou carente, confesso. Abraço lembranças e fico em silêncio, pensando. Olho o passado com alguma frequência e cultivo a saudade sem melancolias. O tempo vai se esquecendo de que gostamos de permanecer e, quando vemos, não podemos mais ver. Não com os olhos.

Vejo meu pai em mim, em gestos que aprendi. Gostava, quando criança, de brincar com suas mãos. Grandes. Tenho eu mãos grandes, também. Gostava das histórias que ele me contava. Gostava de quando ele ria das palavras que eu inventava. Mas o que eu mais gostava era da forma com que ele tratava as pessoas. Meu pai era um homem bom.

Exerceu ele, tantas vezes, o ofício de curar destinos, de espalhar belezas, de ouvir por amor. Quando ele morreu, eu sabia que não era a morte suficientemente forte para terminar um sentimento tão lindo. Quando ele morreu, abracei minha mãe como quem busca um poder de amaciar a dor. E choramos sem pressa.

Hoje, acordei pensando nele. Mais uma vez. Na antiga loja que tínhamos, eu o observava observando as pessoas. Havia uma mulher que, invariavelmente, fazia perguntas e narrava histórias e nada comprava. E ele ouvia. Sem exigências práticas. Apenas ouvia. E compreendia que ela estava ali para aliviar a solidão. Um outro foi explicar sobre uma dívida não saldada, e ele, pacientemente, acalmou-o, explicando que esperaria. Quem faz isso? Quem compreende.

Demorou meu pai a se casar. E, quando se casou, espalhou romantismos sem economias. Minha mãe, ainda hoje, recorda-se dos gestos daquele cavalheiro, daquele viajante que a viu em uma calçada e decidiu que era com ela que haveria de aquecer a vida. Não sei se há, ou não, essa história de alma gêmea ou de amor único, só sei que, desde o início, eles se amaram. Nas diferenças. E, no encanto da unicidade, fizeram a viagem juntos. Até o dia da despedida.

A casa da minha infância já esteve cheia de tristeza e já viveu pintada de alegria. Morreram irmãos meus. Morreram os pais dos meus pais. A morte nunca vem sem estranhamentos. Morreu uma Rosa que esteve sempre a cuidar de nós. É difícil nos acostumarmos às despedidas. Preferimos sempre as chegadas. Por isso há tanta festa quando alguém vem. Um filho vem. Um amor vem.

Doce lembrança dos primeiros beijos em uma pessoa amada. Do aguardado reencontro. Minha mãe fala da timidez daquele tempo. Do namorar acompanhado. Do sonhar com que o dia cumpra o seu dever e o entardecer traga ele de volta. Mesmo que com os pais sentados juntos na sala de estar. Estavam ali desenhando um amanhã, com os olhos, com os sorrisos e com um desejo de permanência.

Nos aniversários do meu pai, havia muita movimentação. Minha mãe sempre gostou de festa. Inda mais da festa do seu amor. Era bonito de ver os dois sendo um. E cada um sendo o melhor que podia para que os dois fossem felizes. Ele ria do nervosismo dela. Ela brincava de dar ordens. Ele brincava de obedecer. E assim fui crescendo.

Teve um ano que eu dei a ele um livro de presente. Sobre a sua história. Escrevi com o teclado dos sentimentos. E ele gostou. E ele chorou. E ele, novamente, leu e se viu. Dor a dor. Frio e flor. Estações que foram se sucedendo e concedendo a ele o dom de viver.

No aniversário deste ano, só posso lhe dar de presente sua presença em mim. Acordei triste, confesso. Mas confesso, também, que conheço a tristeza. E a cultivo como parte de quem sou. Ela me humaniza, me explica que eu preciso de colo. E que, se choro, é porque aprendi que a lágrima é uma delicadeza da alma para acalmar os meus sentimentos.

Meu pai amado. Feliz aniversário. Não sei como é a festa na morada em que você vive. Só sei que você vive. Aí e em mim. E, fica tranquilo, daqui a pouco o choro vai embora, e eu volto ao que você me ensinou. Viver. Gostar de viver.

Comi a saudade

Nenhum dos meus amigos viveu a guerra. Eu vivi. Era um menino pobre de um país pobre de tanta dor. Minha terra chorava dia e noite. Mães atormentadas por sirenes com medo de mais um enterro. Os enterros se sucediam. As lágrimas desciam montanhas abaixo, sonhando germinar um novo tempo. Eu era um menino que ganhava algumas moedas vendendo doces ou varrendo cabelo em uma barbearia. Moedas que não eram suficientes para comprar o sanduíche de que eu mais gostava. Minha mãe e meus quatro irmãos estavam na mesma situação. Nas calçadas da penúria, no caminhar em busca de paz.

Calçada era onde me sentava do outro lado da rua para ver os que tinham dinheiro comprarem e comerem o sanduíche de Falafel. Um vazio me abria naquele corpo tão menino. Reclamar? Como? Minha mãe era muitas para lidar com a sobrevivência de tantos.

Em uma viagem de saudades e acenos, viemos para o Brasil.

Os inícios, por aqui, também foram duros. De pedra em pedra, fui construindo minha história. Sem nunca abandonar as minhas raízes. Fiz família. Mulher e filhas que preenchem os meus mais lindos instantes.

E, um dia, voltei ao Líbano e à rua do sanduíche de Falafel e ao tempo que, dentro de mim, trazia lembranças.

Era outro o vendedor, era outra a paisagem. O sol queimava o dia e eu aquecia o meu coração comprando cinco sanduíches de Falafel. Sem muita explicação, quis sentar na calçada e comer um a um. Eu estava comendo a saudade. Eu estava comendo a gratidão de ter sobrevivido, de ter viajado, de ter plantado em terras de paz.

As lágrimas iam despencando, não de medo das sirenes ou das mortes de quem perdíamos. Eram lágrimas da emoção do curso da vida. Das tantas dores passageiras. Das cicatrizes com as quais aprendemos a conviver.

Conto aos meus amigos, que me ouvem com poesia. As privações podem nos empoeirar de tantas maneiras. E podem nos impedir de prosseguir. Não foi o que aconteceu comigo. O que tenho de mais precioso não é o dinheiro para comprar os cinco sanduíches. O que tenho de mais precioso são os sentimentos que foram regados por tantas pessoas que fui aprendendo a amar.

E, se pensam que conhecem da grande felicidade, esperem o nascimento dos netos. Meus netos são como milagres que brotaram de um Cedro do Líbano que teve a grandeza de nunca desistir de acreditar.

Quando os abraço, relembro o menino que fui e agradeço a Deus por ter chegado até aqui.

Rasgo na alma

Solange e eu tivemos dois filhos. Um se foi, ainda pequeno. Ainda empalideço quando remexo no dia em que o médico nos olhou, no hospital, e soltou umas palavras dizendo o que eu nunca gostaria de ter ouvido.

Eu ia a lado nenhum. Eu queria voltar no tempo e curar aquele dia. Eu queria gritar aos céus. Minha mulher foi ao chão e apertou a barriga, como se perguntasse ao útero as razões de ter que enterrar o seu fruto. Nos olhamos nada enquanto caminhávamos com ele pela última vez. O solitário cemitério e os seus barulhos de mistério. Voltamos para casa.

Os dias que se seguiram foram cinzas. Não havia sol que nos despertasse para o viver. Maurício sofreu também. Pelo irmão e por nós. Será que falhei nesse tempo? Será que, ao deixar de esperançar por belezas, fui pintando uma vida rude para minha família? De tristezas, éramos ricos. E só.

O tempo foi trazendo alguns anúncios. Os sentimentos não deixaram a dor, mas experimentaram dias bons. Disfarçar a falta de alguém não era possível, mas havia canto e havia primavera. Rosas pequenas desconheciam a dor e nos acordavam.

Maurício foi nos trazendo apreensão. Passou dos silêncios em seu quarto para o barulho nas exigências. O menino virou homem sem virar. Grandalhão, nos foi colocando ameaças. Outra dor para minha mulher. Outra dor para mim.

Internamos nosso filho mais de uma vez para tratar das drogas. Droga de escolha. Droga de entrega. Solange olhava para mim como se a culpa fosse minha. Na dor do filho que se foi, eu disse apenas "sim" ao filho que ficou. Fiz todas as suas vontades. Dei o que não tinha. Era ele o que eu tinha. E, agora, ele nos olha com olhos caídos de desarrumação. E nos fala como se fala com quem não se tem amor.

Estávamos em casa nos olhando, em silêncio, depois de um jantar com pouco apetite. E ele chegou. Grande e inquieto. Pequeno da cabeça. Vasculhando o que haveria de exigir. Disse "boa noite". Respondemos. Pediu dinheiro. Já havíamos conversado sobre isso. Recusei. Pedi que se sentasse. Que deixasse o desejo sucumbir diante da noite que estava agradável. Ofereci meu colo e falei de como era bom estarmos juntos. Ele olhou com olhos de nada. Entrou na cozinha e voltou com uma faca. Solange gritou. Eu observei. Pensei que ele nos atacaria. Já fez isso em outras crises, mas não com faca. Dessa vez, foi pior. Colocou a faca no próprio pescoço e ameaçou rasgar a sua vida se eu não desse a ele dinheiro para comprar drogas.

O que deve um pai fazer em noites assim? O seu transtorno era o anúncio de que o impossível poderia não ser. Solange gritou, dizendo para que eu desse logo o que ele estava pedindo. Que não aguentaria um outro fim. Que era o melhor a se fazer.

Maurício acenava com a cabeça, concordando. A faca ainda estava em mãos ameaçadoras. Tudo o que me restava estava em convulsão. Ouvi um som de silêncio dentro de mim. Aproximei-me do meu filho com o cuidado necessário para que ninguém saísse rasgado. Minha alma estava rasgada. Com a delicadeza de um pai, toquei no seu rosto e enxuguei o seu medo. Chorei com ele, enquanto a mão da ameaça começou a descansar. Disse que, se necessário, daria o dinheiro. Que, antes disso, pediria apenas que ele se sentasse. Que eu pudesse deitar no seu colo. Que meu dia havia sido triste. Que eu precisava dele para acalmar a vergonha de ter sido demitido. Que eu era fraco. Que nunca tinha sido um bom pai. Que fui um marido trancado em uma dor profunda incapaz de trazer a vida à vida tão sofrida da minha mulher.

Ele deixou a faca cair e me abraçou. Nos nossos choros, encontramos alguma paz. Não sou ingênuo. Seu vício não dará tréguas tão facilmente. Mas foi o que eu consegui naquela noite. Com a minha fragilidade, despertei nele algum desejo de cuidado. Solange ficou nos olhando. Aquele homem menino sentado e eu com a cabeça em seu colo. Ele me dizendo que eu arrumaria um outro emprego, que ele haveria de me ajudar, que tudo iria ficar bem.

Olhei pelo verão que entrava pela janela. Um calor bom nos aqueceu naquela noite. Ele disse que estava com fome. Eu sugeri que jantássemos novamente, agora com apetite. Solange concordou. Nos levantamos e fomos juntos preparar e comer algum futuro.

Como será o dia de amanhã? Calma. Houve uma trégua no desfecho da noite. E não se pode desperdiçar instantes de paz...

Chegada e partida

Vou contar um pouco da minha história. Digo "um pouco" porque me faltam palavras e dias para compreender o que, até hoje, não compreendi. Porém, aceito. Como aceito o chegar e o despedir das estações. Não tenho escolha. O que hoje escolho é prosseguir. Sem muita busca de explicação. Sem julgamentos.

Quando nasci, a irmã de minha mãe veio em missão de ajuda. Deixou seus afazeres para socorrer a irmã que havia tido uma difícil gestação. Nem bem a ajuda nasceu e ela partiu junto com meu pai. Isso mesmo. Eu ainda ensaiava o abrir dos meus olhos quando minha mãe usava os seus para chorar. Perdeu o marido e a irmã. E ficou comigo, necessitado de tudo. Como todos os que chegam. A dor do parto se tornou mansa diante da dor da partida.

A partir daí, fui crescendo. Minha mãe sucumbiu aos fatos e, também, partiu. Pediu à minha avó que olhasse por mim. Sem pai nem mãe, fui descobrindo a vida. As infâncias não são tão perfumadas quanto nos contam. Mas sobrevivi.

Viver com minha avó foi bom. Não posso dizer nada diferente. Ela empunhou a bandeira da paz e exerceu a delicadeza de não falar mal de ninguém. Sobre minha mãe, explicou, quando pude entender, alguma explicação que ela jamais deixou de me amar, mas precisou ir em busca de ar. Em outra parte.

Meu pai e minha tia se mudaram para perto. Portanto, com eles, eu convivi. Sem querer rabiscar a minha felicidade, vez ou outra, eu tentava imaginar a respiração da minha mãe.

Por que nunca me procurou? Por que não voltou das buscas e buscou a minha presença?

Meu pai e minha tia tiveram outros filhos. Minha avó morreu em um dia de inverno. Agasalhei o meu choro de uma decisão: ir em busca da minha mãe. E foi o que fiz. Dediquei-me a investigar e descobri seu canto. E nos encontramos. Também ela teve outros filhos. Sua história se fez ao longe da minha.

O primeiro encontro foi estranho. Entramos em silêncio na casa e nos olhamos, tentando tatear o nosso amor. Fui eu que falei primeiro. Não fiz perguntas, mas ela me respondeu. Não me procurou por medo. Imaginou que minha avó tivesse preenchido minha mente com narrativas incorretas. Soube que meu pai estava por perto. E julgou que não era necessária na minha vida. Pensou em mim sem pausas, disse ela. "Filhos não nos desgrudam." Ouvi. Disse que dela minha avó só havia dito bondades. Disse que meu pai e minha tia prosseguiam. Disse que eu queria esquecer as ausências e usar o tempo que nos restava para sentarmos juntos. Ela chorou. Chamou os outros dois filhos que teve. Falou de mim. Do seu orgulho a distância. Do meu pai e da escolha que teve. Falou sem ódio. Apenas narrando. Falou da única irmã, também, sem julgamentos. Quem sabe as razões de cada um? Meus irmãos me olharam com curiosidade. Sabiam trechos esparsos da história. Sem a rotina, é difícil desenhar os afetos. Estranhos sentimentos em nossa estranha história. Mas a decisão não era a de ir buscar? Mesmo com as diferenças, mesmo com as distâncias?

A casa de minha mãe fica muito longe da minha. Ela não tem a disposição de voltar. Saiu levando apenas o choro e se fez em outro canto. Não posso deixar o onde vivo e mudar de vida. Mas posso me aproximar. Posso visitar. Posso falar. Posso reacender o que o tempo disfarçou.

No fim do primeiro dia, já éramos, novamente, mãe e filho. Já substituíamos o silêncio por risos e por curiosidades. Ela quis saber de cada dia da minha vida. E eu contei como pude. E eu percebi interesse. Pouco tempo tivemos para que ela falasse da sua vida. Mas durmo aqui, hoje. E, amanhã, continuamos. Sei que meus sonhos estarão sobressaltados.

Fico imaginando o dia da dor. Ela, comigo no colo, e alguém dizendo da partida. Ela partindo. Não. Não digo isso tudo para cultivar o sofrimento, mas para exaltar a superação. Minha mãe é uma mulher feliz. Cresceu no abandono e sobreviveu.

Amanhã, vamos continuar. E, também, depois de amanhã. O tempo das distâncias dará lugar ao tempo do encontro. Se algo se perdeu, paciência. A paz que agora sinto é o que importa para os novos dias que virão. Acompanhados.

Domingo de Páscoa

As crianças estão acesas. Deixaram para depois as preocupações. Crianças também têm o direito de se preocupar. Ontem mesmo, Sávio clamou por atenção. Explicou que não podia colorir o céu sem o lápis azul. Parei tudo e visitei com ele as possibilidades. Pintamos alguma tristeza e o cinza resolveu. Mostrou, satisfeito, para Marina, sua irmã, a obra de arte. A pequena tem, no irmão, o condutor de certezas. Admira-o. E isso é bom. Foram cedo para cama para mudarem, rapidamente, de dia e viverem a Páscoa.

Mirela e eu escondemos alguns ovos em pontos diferentes da casa. Minha esposa cultiva o propósito de deixar a vida mais leve. E colhemos alegrias. Nos esconderijos, embalamos os ovos com frases de amor. Marina ainda não conhece as palavras. É Sávio quem lê para a irmã. E o faz com a autoridade dos seus quase seis anos de vida.

Um passado me acorda. Saudade da minha infância. Do interior, onde tudo era mais próximo. Do sino da Igreja nos avisando que o dia havia acordado. Das procissões da Semana Santa. Dos nomes dos que caminhavam. Do velho padre que nos contava histórias. Do sermão da morte de Jesus. Minha mãe, invariavelmente, enfeitava os seus sentimentos com algumas lágrimas.

Hoje, estamos trancados. Há muitos e não há ninguém. Sou dos que gostam do brincar antigo. Da contação de histórias. Da montagem dos quebra-cabeças, do adivinhar palavras.

Demorei a me casar. Demorei a enfrentar a minha solidão e a perceber que amar é uma proibição de estar só. Mas sinto falta dos dias que se foram. Sinto falta das outras faces que emolduravam os porta-retratos vivos da minha infância. Muitos já partiram. É assim o viver. Um despedir. Um receber.

Mirela é muito mais jovem do que eu. Com ela, decidi pedir ao tempo que fosse lento. Quero ver os meus filhos em outros tamanhos. Quero sucumbir nos cansaços das brincadeiras e sorrir nos gestos de seriedade. Quero, enfim, viver.

Páscoa é a festa da vida. E, por isso, os ovos. É preciso encontrar o verdadeiro sentido da vida. E, por isso, os escondemos dos pequenos. É nos pequenos ensinamentos que vamos forjando os amanhãs. As escrituras começam nos inícios. Nos inícios, onde se urge aprender o correto. A Páscoa é a festa da liberdade. Era assim que os antigos comemoravam. Uma passagem de uma situação à outra. E o mar entre eles.

Nenhum mar nos engole, se soubermos para onde ir. Nenhuma escravidão pode nos vencer, se estivermos fortes.

Sávio me surpreendeu, indignado, com o que fizeram a Jesus. Tão criança e tão pleno. Rezo para que prossiga no propósito de não naturalizar as crueldades. E Jesus perdoou as ignorâncias. Mesmo com a dor dos pregos injustos que o mantinham na cruz. E os cruéis, a história apenas registra alguns dos seus nomes. E Jesus mudou a história, porque não se fez um deles. Não odiou. Não se vingou. Não usou o poder para mostrar o poder. Sua vida, ressurgida da morte, eternizou o seu ensinamento. O amor é a força mais poderosa do Universo. E o amar é o que nos faz andar com pés decididos.

Marina me perguntou sobre o coelho da Páscoa, se Jesus tinha um coelho. Expliquei como pude. Perguntei se ela gostava de coelhos. E pintei a explicação com a sua resposta. São lindos, cheios de vida. Queria que meu pai pudesse ter conhecido os seus netos. Não. Não estou nostálgico. É apenas uma saudade querendo participar da festa do hoje.

Quando encontrarem os ovos, meus filhos vão ler os sonhos que ousamos sonhar por eles. Nada de intromissões. Que decidam eles os próprios caminhos. Mas que aprendam que amor, humildade, respeito, honestidade, compaixão são segredos que os coelhinhos pintaram nos ovos que vão adoçar nosso futuro.

Não poucas vezes, em meio a dores prolongadas, ouvi do meu pai: "O futuro existe". Fiquei pensando no céu cinzento que meu filho e eu pintamos. E decidi que vou providenciar o azul. Combina mais. Termino com esta doce melodia que me faz lembrar por que gosto tanto de viver: "Feliz Páscoa, papai".

Um dia, em um lago

Certa vez, me ensinaram que, quando as noites estão agitadas, o melhor a fazer é se entreter com o belo. Peguei a foto do meu pai, olhei por alguns minutos, fechei os olhos e permiti que a lembrança dele fosse acalmando os meus barulhos.

Outra vez, olhei para a imagem de São Francisco que me acompanha há tanto. Olhei o tempo necessário, fechei os olhos e fiquei com aquela inspiração em mim, me fazendo revisitar histórias da bondade que tantas vezes li e ouvi.

E, assim, no despedir de outros dias, me acalmei. Até uma flor já me fez companhia. Havia recebido de alguém especial. Uma rosa aveludada. Era assim que eu a via. Tomei-a nas mãos. Olhei os seus detalhes. Fechei os olhos e aquele perfume foi me acalmando.

Hoje, revisitei o passado. Busquei no ontem a paz para abrir o dia. Era um dia, em um lago. Estávamos em poucos. Meus irmãos maiores pescavam em um ponto qualquer. E eu brincava de boiar, do outro lado. Havia uma prima que tinha medo da água e que me chamava para apenas ver. Deixei o prazer para cuidar dela. Tão pequeno e tão pronto para estar. É verdade. As infâncias só são cruéis quando outros decidem.

O dia ainda distava do fim.

Ela tinha fome e insistiu que eu chamasse meus irmãos. Nos aproximamos. E foi aí que eu vi os peixes sendo enganados pelos anzóis e depositados em um balde com água. Vi e paralisei. Vi e fiquei imaginando, primeiro, o fim da liberdade e, depois, o fim da vida. Nada mais eu via naquele canto escondido de um interior entre montanhas. Minha prima pensava na comida. Meus irmãos, na disputa de quem pescava mais. E eu refutei os pensamentos outros e, em um ato de temeridade, pois era bem menor do que eles, peguei o tal balde e devolvi os peixes à felicidade.

Hoje, rio. Naquele dia, apanhei. Corri como pude, mas meu irmão mais velho me alcançou. Guardei o choro para chorar depois. E chorei sozinho. E o choro se fez sorriso, quando lembrei o que fiz.

Foi assim que acalmei o meu dia, hoje. Aquele lago, não sei se existe mais. Um dos meus irmãos já vive onde um dia espero viver. Ele era bom. Meu outro irmão já não me bate. Minha prima tem outros medos. E eu tenho a memória de tantos dias em que experimentei a dor e o amor.

Lembro que cheguei a sonhar que os outros peixes, da família dos peixes que quase partiram, festejaram a volta deles ao convívio.

Sonho, hoje acordado, que ninguém se acostume com as crueldades. O bom é se entreter com o belo. Causamos machucaduras a outros. Infelizmente, temos esse poder. Mas, também, temos um outro, o de esvaziar o que esvazia a liberdade. Não perdemos a liberdade quando estamos em casa. Perdemos a liberdade quando não podemos nos lembrar de bondades. Os perversos nunca saberão o que é ser livre. Enfeiam suas vidas com tramas estranhas, que teimam em pescar, das outras vidas, a paz.

Um dia, disse "não" a um homem poderoso que me queria a seu lado. Ele e os outros se assustaram. Como alguém pode dizer "não" ao poder? Como alguém não se fascina pelas glórias e honras que há de receber? Só sei que olhei para o futuro e imaginei as variações de humor, os gritos de ordem, as exigências infundadas daquele tal e disse "não".

Sou das leituras e sou das observações. Quando penso nas antigas cortes com os seus tiranos, sempre concluo que os camponeses eram muito mais felizes do que os ministros, que nunca sabiam o que haveriam de encontrar.

Viver os cheiros da natureza é mais belo do que se esbaldar na comida dos barulhentos.

Em mim, encontro o lago e as travessuras de uma infância feliz. Fecho os olhos e agradeço. Os choros existiram, mas não roubaram de mim quem eu sou.

Minha filha

Foi ontem, por isso estou ainda anuviado. Um sorriso lindo, um pedido de amor e uma desatenção. É assim que me lembro. Sei que posso corrigir. Há muito a ser escrito em nossa história. Mas é bom que eu sofra e que, sofrendo, aprenda. É assim que vejo o sofrimento, uma escola para lapidar a alma.

Minha filha não tem ido à escola como tantas filhas e filhos de tantos que aguardam essa pausa passar. E, na pausa, temos convivido mais. Ver o seu correr divertido já faz com que eu esqueça os problemas nada divertidos que preenchem boa parte do meu dia, mesmo em casa.

Minha mulher vê um mundo mais leve do que eu. É da paciência. Eu sou da pressa. Não sei se essas palavras são antônimas. Sei que não desacelero, mesmo em casa.

Foi ontem, como eu dizia. Um dia em que elevei a voz, mais de uma vez, em intermináveis reuniões a distância. As irritações foram se avolumando. O sistema caía. Caía a minha calma de ter de dizer, mais de uma vez, a mesma coisa. Por que não praticam o ofício da atenção aqueles que trabalham comigo? Por que se distraem com outros afazeres? Dia difícil foi ontem. E, súbito, ela chegou com a alegria dos que ainda engatinham na vida. Reparei rapidamente os cabelos, os cachinhos, as fitas tão bem colocadas. Reparei na vontade de estar comigo e reparei na decepção diante do som do meu "não".

"Papaizinho amado, vem brincar um pouco comigo." Meu silêncio não a incomodou. Os meus olhos, que em tanto repararam, voltaram para a tela enquanto outros sorviam a minha impaciência. "Papai, conta uma história para mim." "Agora não dá, filha. Pede para sua mãe." E não mais olhei.

Deixei aquele pedaço de ternura olhando sem ser olhada. Ela ainda ficou alguns instantes aguardando que eu mudasse de ideia. Eu via que ela me olhava, mas eu não correspondia o seu olhar. Como fazemos quando não queremos ser incomodados.

Meu Deus, onde cheguei?! Minha única filha não pode ser um incômodo. Meu coração acelerou. Eu quis que ela saísse logo. Acalmei quando ouvi aquela mesma voz, que me faz querer viver, chamando "mamãe". Os alívios duram pouco, quando não fazemos o que devemos. É isso o que sinto hoje.

Despertei antes do dia. Fui ao quarto onde ela dorme sorrindo. Os seus sonhos ainda não conhecem solavancos. Fiquei sentado, admirando. O cheiro do café foi preenchendo. Minha mulher se aproximou e me beijou com o gosto de uma manhã de outono. Uma indiscreta lágrima deu alívio aos meus sentimentos. Abracei a minha mulher e comentei sobre a riqueza que era viver com as duas. Ela concordou com a cabeça e com o sorriso. Deixamos juntos o quarto.

Enquanto arrumávamos o que haveríamos de comer, disse sobre o ontem. Ela apenas riu e disse que não tinha importância. Eu discordei. Ela insistiu: "Você estava trabalhando, ela compreendeu". Não entendo das pedagogias da compreensão. Das idades em que se sabe uma coisa ou outra. Sou dos números, dos negócios. Não. Não quero pensar assim. Sou pai. E não quero autorizar o tempo a passar sem as escolhas corretas. Pareço estar exagerando. Não cometi crime algum. Mas prefiro pensar assim: se não prestar atenção agora, desperdiçarei os dias do seu crescimento. Lembro de amigos que assim dizem. Que, quando viram, os filhos já estavam prontos para o voo. E que o silêncio da ausência deles em suas casas tinha cheiro de saudade.

Ela acordou e veio correndo para a cozinha. Me deu o abraço dos que nada cobram. Olhou nos meus olhos e pediu colo. Eu consenti. Eu a apertei tanto que ela brincou soletrando uns "ais". "Estou sendo esmagada igual à história dos passarinhos." "Quer que eu conte uma história?" "Quero, papai. A mesma, por favor. Quando o pai salva o filhotinho." "Eu conto, minha filha amada." Minha mulher brincou, dizendo que havia outras histórias para serem contadas. "Só mais uma vez, mamãe. Gosto tanto do final. Fica todo mundo feliz."

E o sol, sem preguiça, atravessava a janela. E um calor bom tirava o frio da noite e dos pensamentos de ontem. Eu e as minhas mulheres comendo histórias e pão com manteiga, bebendo vida e um café perfumado. Sei que o dia não será fácil. Na minha cabeça, os problemas continuarão a conversar. Mas sei, também, que agora é hora do poético encontro. Da quentura dos sentimentos. Do amor. Seguirei amando depois. Será um dia melhor...

Silencioso aniversário

As badaladas do sino da Igreja, perto de casa, rasgam o silêncio. Antes de morar na grande cidade, vivia os dias em um interior, entre montanhas. Também lá, ouvia sinos. Também lá, a Igreja me apontava para o Céu e me lembrava do essencial.

Na minha infância, os aniversários eram felizes. Havia o constrangimento de não saber onde colocar as mãos quando cantavam, na antiga escola, o antigo parabéns. Tímido, disfarçava.

Chegava em casa, e minha mãe esperava sorrindo no topo da escada que era preciso subir para entrar pela porta da sala. Na sala, meu pai, e um fogaréu de gentilezas para me aquecer e iluminar. Meu Deus! Quanta saudade eu sinto do meu pai! E as surpresas. E os dias com sabor de comida de mãe e de avó. O fogão a lenha. A conversa longa. Os beijos e abraços sem pressa. Hoje, tudo é apressado. Ou melhor, era, antes da pausa.

Na infância, eu, eufórico, acordava antes do sol para esperar as festas. Esta semana, acordei antes também, mas de tristeza. A tristeza sempre foi minha companheira, mesmo em dias felizes. Sempre tive conversas comigo sobre as dores da humanidade e as minhas próprias, sobre a finitude e as bestialidades que corroem as pessoas.

Sou dos que se emocionam, dos que choram sem outras preocupações a não ser a da sinceridade. Sou dos que reconhecem as cicatrizes tantas que as feridas foram deixando de herança. Na minha alma, elas convivem, e convivem com o perfume dos amigos que fui conquistando. No ano passado, eles estavam comigo. Cantavam comigo canções de gratidão e de esperança. Sempre gostei das palavras que me remetem ao passado e ao futuro. Mas tenho receio, também. De viver olhando para trás ou esperando demais o que de mim não depende. Sei que é o presente que me deve atenção. E o presente bom e belo é capaz de eternizar o que é efêmero.

Antes do dia do meu aniversário, fui ficar com minha mãe, que há muitos dias se recupera em um hospital. Nos olhamos como sempre. Brinquei com ela dizendo que as dores do parto já deviam estar incomodando; no dia seguinte, eu haveria de nascer. Ela sorriu, disfarçando a sua dor. Ela pediu que eu deitasse com ela. Eu sorri. Disse que não era possível. Ela explicou que, se eu estava dentro dela, poderia me deitar. Tempos estranhos estes em que nem beijos singelos podemos dar. Brinquei com os seus cabelos, cantei alguma canção e esperei que ela adormecesse para partir. Minha sobrinha ficou com ela.

Na madrugada, eu estava sobressaltado. Não sou o único a sofrer nessa pausa. As cidades e suas ruas sem ninguém. As mais lindas construções que eternizaram a ação humana sem ninguém. As salas, onde a arte do teatro, da música, da dança elevam a humanidade, sem ninguém. As escolas, onde os futuros se abrem, sem ninguém. Mas ali estava eu, recebendo o meu aniversário em silêncio. O dia seria como todo dia. Gosto do dia com sabor de todo dia. Mormente quando os que amam podem me abraçar.

Nada de abraços. Nada de encontros desinteressados. A boniteza da amizade está na ausência de interesses. Nada de conversar com proximidade. As máquinas, que a humanidade inventou, estão sendo úteis. Minha tia, que tanto amo, me liga com a ajuda de quem com ela vive. Nos vemos ao longe. Enquanto minha mãe está no hospital, o telefone fica com ela, no mesmo interior de onde vim. Então, na chamada, aparece o nome da minha mãe. Choro e rio. Minha tia diz coisas engraçadas. Os anos lhe trouxeram mais humor. E o dia melhora. Os vazios persistem e o dia piora. As lembranças ocupam bom espaço e rezo para que, no ano que vem, minha mãe esteja em casa, nós dois rindo juntos de mais uma montanha que tivemos de subir para ver o belo.

Belo é viver. Com ou sem as pausas, com as badaladas dos sinos da infância ou as badaladas dos sinos dos anos que foram se acumulando. Belo é viver, mesmo neste silencioso aniversário.

Obrigado, mãe!

O dia da despedida foi delicadamente triste. A noite já cobria o mundo quando ela deixou de respirar. Foram quase cinco meses de UTI. Ela chegou quase sem vida. Viveu dias sem acordar. E acordou feliz.

Como esquecer o primeiro sorriso depois da longa pausa? Como esquecer seu olhar sedutor pedindo comida? A fome era um bom sinal. Sua fome de vida, também. Foi vencendo os limites, foi voltando a falar. Foi brincando com os médicos, enfermeiros, fisioterapeutas e outros cuidadores da sua saúde. Como sou grato a eles todos! Pedia beijo, quando entravam, e meu irmão ralhava sorrindo, brincando de filho ciumento de uma mãe linda.

Fui contando sua história enquanto ela se portava satisfeita. Os dentes eram todos dela, vieram da Síria, brincava. Foi a mais bonita mulher que chegou ao porto de Santos naquele dia. E ela meneava a cabeça, concordando. Conheceu meu pai em uma tarde qualquer, em uma cidade dos tantos interiores do Brasil. E se entregou ao amor. Contei que ela teve medo nas primeiras noites. E ela concordou, explicando que foi só no começo. E deu uma risada santamente maliciosa. Como se amaram, aqueles dois! Como se completaram em suas diferenças!

Meu irmão, depois da despedida, me perguntou o que tantos perguntam quando se partem pela partida de alguém que amam. "Onde estará ela, agora?" E eu tentei responder algum alívio. Para ele, para mim, para os netos que tanto acenderam luzes na avó. Ela está plena de amor. O corpo sem vida continua nesse quarto, mas ela está inteira, embelezando o que a morte não vence. Meu irmão me olhou. Eu prossegui. No ventre materno, a criança não sabe da vida grande que vai ganhar depois do parto. Depois da partida dessa vida, não conseguimos compreender a liberdade do amor sem dor, a plenitude do viver sem morte, o encontro com o Artista maior. Há o mistério que nos separa da surpresa e é isso o que consigo dizer entre a fé e o choro doído da saudade.

Antes da noite que a levou, houve os instantes em que pude dizer o quanto a amei, o quanto foi lindo ser seu filho, o quanto eu era grato pelo cordão que nunca se rompeu.

Os instantes são uma vida inteira. Fui menino, novamente, naquele quarto. O menino a quem ela explicou o mundo. Fui um pouco mais crescido, quando ela chorou os filhos que teve que enterrar. Quanta dor naquelas despedidas! E ela se refez. E se desfez, novamente, quando disse adeus ao seu amor, meu pai. E se refez com os netos preenchendo os dias, com a bisneta que chegou azul como um dia lindo amanhecendo. E continuou inteira, brincando de mandar em todo mundo. Minha mãe amada, obrigado.

E tem sua irmã, minha tia. Viveram juntas desde sempre. Cruzaram o mar. Choraram a terra que ficou. E agora? "Tia, já não tenho pai nem mãe. Você cuida de mim?" Entre pausas e lágrimas, ela quis compreender. Por que a irmã não resistiu? A irmã resistiu. Viveu a vida dos fortes. Não desperdiçou doces nem sorrisos. Obrigado, mãe. Tenho você em mim até o meu último dia por aqui. Como tenho meu pai. Que agora está pleno. No pulsar das minhas histórias, vive você. Vou chorar, sim, mas vou rir também. Sem muito esforço.

Pulsar, foi o que disse. Respirei meses em você antes de nascer, nasci em você, nasci muitas vezes em seu colo costurando minhas dores. Sua voz dizendo carinhos. E broncas de amor. Seu toque espantando as febres. Agora, você sou eu. Você é tantos. Que te conheceram. Que se alimentaram do tal sorriso, do mais lindo de todos os sorrisos do mundo. É isso que sinto.

Obrigado, mãe, por ter ficado um pouco mais para que pudéssemos cuidar de você. Foi tão pouco perto do que você cuidou. Concordo com o poeta quando diz que as mães deveriam ser proibidas de morrer. As mães não morrem, poeta. A minha está viva. Pena não poder receber mais o seu beijo, pena não poder despentear o seu cabelo, pena não poder deitar com ela para ouvir e contar histórias. O abraço terá que ser na alma. Mas ela está viva, poeta. Não do jeito que pude decidir, mas do que jeito que é. A mim, cabe amar e expandir minha alma até encontrá-la.

Obrigado, mãe.

SOBRE O AMOR E, ÀS VEZES, A DOR

Melancolia

A melancolia é um estado da alma. Muito aberta, essa definição? Há uma outra, de Victor Hugo, que diz que "a melancolia é a felicidade de estar triste". A felicidade de estar triste? Como é possível? É possível.

A melancolia é amiga da memória. Estou falando de uma melancolia que vive na casa dos românticos, não da melancolia estudo dos psiquiatras e outros pesquisadores da depressão e da mente humana.

A melancolia do coração viaja para o ontem e se apega ao que passou. Gostaria, talvez, de recuperar o que já não tem. Não tem. Fazemos suposições. Imaginamos verdades. Corroemo-nos em brigas, refletindo sobre nossas escolhas.

A vida poderia ter sido diferente, se tivéssemos regado outras plantas? Quem sabe? As que temos são trabalhosas, mas são nossas. As que imaginamos talvez nunca tenham sido. Na imaginação, as flores não têm espinhos. Na imaginação, os jardins não têm pragas.

O passado não acontecido pode nos enganar. Na linda história de amor entre Dante e Beatriz, o imaginado é mais forte do que o realizado. Penélope esperou durante anos e anos pela volta de Ulisses, o seu grande amor. Valeu a pena? O desfecho é sublime, mas é um mito, apenas.

Histórias reais são mais complexas. Mas os mitos têm uma finalidade. Certamente. A melancolia, também. Envoltos em sentimentos, queremos entender os sentimentos do outro. Houve amor ou apenas empolgação? Houve amor ou era uma estranha teimosia que nos preenchia? Será mesmo necessário saber o que o outro sentia?

Desprezamos as evidências e nos lambuzamos de suposições. Vez em quando, faz bem esse revisitar. Até para prosseguir. Até para compreender que o passado já está incorporado e que o amor amado, correspondido ou não, já cumpriu sua finalidade.

Em uma palestra, um jovem me perguntou se eu acreditava em amor único. Eu quis entender a razão da pergunta. Ele logo explicou que, se existisse, seria uma injustiça. "Pois, se eu amo alguém que não me ama, estou fadado ao fracasso." Certamente, ele estava amando e, certamente, a dor do amor estava ali. Amores jovens. Amores de todas as idades. Amores capazes de nos provar que estamos vivos.

Não respondi. Lancei outras perguntas e outras possibilidades. É preciso experimentar para compreender. Ou ao menos para sentir. Os sentimentos de amor ultrapassam as compreensões. O tempo tem o seu senhorio. Uma mulher que muito viveu falava do filho que não teve. Se tivesse experimentado a maternidade, a vida teria sido mais feliz? Quem sabe? Mães também perdem filhos. Mães também se entristecem com eles. Como seria o que não foi? Como saber? Não é possível voltar no tempo e escolher o que não se escolheu. Mas é possível voltar no tempo e celebrar o que se conquistou. Se conseguirmos esse feito, a melancolia vai partindo.

Os anos acumulados nos trouxeram momentos mágicos, não ver a felicidade nos enternecendo em dias calmos é negar à memória o direito de reconhecer. A melancolia se recolhe quando o futuro começa a exigir atenção. Não importa o tempo que ainda temos para viver. Certamente, outras escolhas nos desafiarão. Certamente, outros amores nos provarão que não há idade para entender o que Penélope entendeu ao tecer, durante o dia, e desfazer o seu tecido, durante a noite, para que sua coberta só estivesse pronta para um amor que merece toda a sua entrega. Existe amor único? Não sei. Só sei que essa vida é única e merece, entre melancolias e futuros, um presente de celebrações.

A riqueza de Carlos

Era uma terça-feira ou talvez uma quarta. Bem, o dia não importa. O que importa é o sentimento de Carlos. Pois bem, ele amanheceu e olhou ao redor. E viu as coisas ocupando os seus espaços. A mulher já havia saído; seu perfume, não.

Enquanto inspirava o ar apaixonante, Carlos sorria. E agradecia por estar ali. No travesseiro ao lado, resquício de alguma maquiagem. E o cheiro bom da esposa. Carlos é um homem apaixonado. E fala da sua mulher com profunda admiração, o que é essencial para que um relacionamento rasgue o tempo.

Ao levantar, percebe uma fresta boa de sol iluminando a foto do filho. Têm eles um filho. Pequeno, ainda. Apressa-se para ir ao quarto do menino. Ele ainda dorme. Deita-se Carlos ao lado do filho. E o abraça com tanta força que força o menino a acordar. O filho não se importa. Diz um lindo "papai" que faz com que Carlos suspire de felicidade. Brincam eles um pouco. Cócegas, risos, guerra de travesseiros. E, depois, os afazeres necessários. O menino precisa ir para a escola, e Carlos para o trabalho.

Antes, tomam café juntos. O filho conta alguma coisa da professora. O pai saboreia um pão com manteiga e geleia. Doce é sua vida. Quando pensa que perfeição não existe, espanta o pensamento. Os dias têm sido substituídos por outros dias perfeitos. Numa sucessão de acontecimentos comuns, deliciosamente comuns.

Carlos tem amigos que reclamam dos relacionamentos. Espanta-se com alguns que dizem que o pior horário do dia é o da volta para casa. Faliram os afetos, adormeceu o respeito, esfriou o enlace. E permanecem semimortos, desejando que o fim aconteça sem sobressaltos. Carlos não acha certo dar conselhos. O melhor é ouvir apenas. Vez ou outra, jogar alguma luz que ajude a enxergar. E que puxe alguma coragem para reinventar. Pensa consigo mesmo que jamais viveria uma história sem história. Se um dia esfriasse, seria sincero. Não, não haverá de esfriar. Ralha consigo mesmo por dar margem a especulações desnecessárias.

Ama a sua mulher e o seu filho. Ficar com eles é um deleite. Gosta de ouvir a voz de mulher. Vez ou outra, pega-se distraído, inebriado pelos sons que o agasalham. E ela ri. Ri de seus ditos amorosos. Carlos não economiza em palavras e gestos de amor. Economizar para quê? Trabalha ele com outros tantos que têm cada qual a sua história.

Dia desses, um dos sócios propôs um novo projeto. Inchou o peito para dizer sobre a ousadia da ideia e os resultados certos. Ficariam ricos, mais ricos. Carlos acenou, concordando. O futuro exige empreendimentos desafiadores. E ganhar dinheiro é bom. Principalmente, quando se faz o que se gosta e quando se sente útil no que se faz. Mas de riqueza, de riqueza real, ele entende.

Necessidades? Poucas. O essencial, pensa ele, "encontrarei em casa hoje à noite". O sócio olha para o olhar distante de Carlos. Fica feliz. Imagina ele que imaginando está Carlos com o projeto que farão. O cheiro da mulher e o sorriso do filho antecipam o prazer que não há de tardar.

Lágrimas milagrosas

No final da semana passada e no início desta, proferi várias conferências nas regiões Nordeste e Norte de nosso país. Estive em Recife, Fortaleza, Juazeiro do Norte, Macapá e Belém do Pará. Fiquei emocionado com o carinho dos professores e dos alunos. Aprendi muito. E ouvi muitas histórias. Quando estou com professores, alimento-me de vida, de vida generosa.

Depois da palestra em Juazeiro do Norte, fui visitar a estátua do Padre Cícero e a Igreja onde ele está enterrado. Lá conheci Cícero. Nascido em Palmeira dos Índios, Alagoas, Cícero vive, hoje, em Juazeiro. E gosta das rezas, disse-me ele, sorrindo. E gosta de velório. Não perde um. Acha que deveria haver uma lei que obrigasse as pessoas a ir a velórios. Contou-me que é "sentinela de velório", eu não sabia o que isso significava. Cantou-me algumas músicas populares, tristes. Uma para cada ocasião. Quando morre o pai, é um tipo de música; quando morre a mãe, é outro. "Quando morre o filho, é dor doída demais", confidenciou-me Cícero. Disse-me que seus irmãos não gostam dele. Que o acham atormentado. Mas que ele não se importa. Que é feliz assim. Cantando. Rezando. Chorando. Lembrou-me "Morte e vida Severina", de João Cabral. A singeleza das ladainhas e a riqueza da crença popular.

Contou-me ainda que chorava sempre, pois todo velório é triste. Mas revelou: "O velório mais triste da minha vida foi o que eu não fui: o de minha mãe". Seus irmãos não o avisaram. E, até hoje, ele sente essa dor. Sua mãe foi o que de melhor ele teve na vida. E se tivesse oportunidade de chorar, de chorar lágrimas milagrosas, ele choraria sem parar para trazê-la de volta. Deu-me um abraço forte e chorou.

A missa começou e eu fiquei olhando seus gestos de fé. E de outros que ali estavam trazendo suas dores, suas lágrimas e seus sonhos. Eu também rezei e pedi a Deus o dom da simplicidade. Num mundo tão cheio de irracionalidades, é bom conhecer alguns Cíceros e aprender com eles.

O perfume de Yasmin

Eu tive um irmão com Síndrome de Down. Era o terceiro de quatro filhos, e eu era o caçula. Meu irmão cantava e dançava boa parte do dia. Tinha também os seus brinquedos e todo o nosso afeto. Naquela época, a inclusão era ainda uma utopia. Frequentar escolas com outras crianças, aprender e ensinar, conviver era, praticamente, um tabu. Minha mãe dedicou a vida a cuidar dele, e nós o amávamos muito.

Dia desses, conheci Yasmin, uma menina com Down que estuda em uma escola municipal e que conversa e que abraça e que ri de pequenas coisas, porque percebe que, nas pequenas coisas, está a alegria. Yasmin me abraçou fortemente, quis ficar no meu colo, encostou a cabeça no meu ombro e, quando a professora quis levá-la, ela explicou: "Está bom aqui". Yasmin trouxe a memória afetiva do meu irmão. Ele faleceu com 33 anos. Cedo demais. Ele foi o meu companheiro de tantas brincadeiras infantis e a minha inspiração para alguns dos meus primeiros escritos. Júnior era o seu nome. O nome de meu pai, um homem bom, que cuidou de todos nós e nos ensinou a amar as diferenças e a compreender a beleza que há nelas.

Sempre defendi a bandeira da inclusão. Alunos com deficiência convivendo com outros alunos, aprendendo juntos o valor da solidariedade, do respeito; e desenvolvendo habilidades de que, todos nós, com maior ou menor dificuldade, somos capazes. Yasmin transmitia a espontaneidade e a alegria tão comuns nas crianças com Down. A professora levou-a com delicadeza, dizendo-me: "Essa menina é um presente". Meu pai dizia isso do meu irmão: "Meu filho Júnior é especial, um presente especial de Deus".

Há muito a ser feito pelas pessoas com deficiência. A verdadeira inclusão depende de ações concretas em todos os ambientes que eles têm o direito de frequentar. Se olharmos para trás, já evoluímos muito. E assim tem que ser. O perfume de Yasmin frequentou a minha alma naquele dia. Saudade do meu irmão.

O apagar das luzes

Era um dia como outro qualquer. E a noite chegou. E, com a noite, a dor lancinante de quem perdeu o seu amor. Celina estava em pedaços. Quem já passou por isso sabe o quanto dói.

Rogério resolveu partir. E partiu partindo os mais lindos sentimentos de Celina. No dia do desfecho, só ele falou. Encheu-a de elogios, culpou-se a si mesmo, contou histórias que mais pareciam preparadas para uma saída delicada. E saiu. Ela ficou ouvindo o que ele disse, mesmo depois de ele não mais estar. E ficou ouvindo o que ele falava antes. As promessas de eternidade. O caminhar junto. A construção de uma história que atravessaria as estações e se manteria firme até o final, até o entardecer do existir dos dois.

Rogério escolheu uma outra mulher. Não foi isso o que ele disse. Foi isso o que ela entendeu. O chegar em casa, depois da tal conversa, foi difícil. As fotos ainda decoravam o ontem. Cheias de risos e de poses. Cheias de encantamento. Anos e anos de histórias. E, num dia como outro qualquer, tudo se finda.

Celina tomou banho. Chorou o choro doído que desidrata os apaixonados. Enxugou apenas o corpo, a alma permaneceu como quis. Quisera ela ter o poder de esquecer tudo, quisera ela acender a luz e encerrar a noite de uma vez por todas. A noite tem o seu tempo.

Envolta em pensamentos, não adormeceu. Uma amiga sugeriu que ela tomasse algum remédio para dormir. Preferiu resistir. Choraria o tempo certo. E depois prosseguiria.

Alguns dias se passaram. Sem conseguir se controlar, enviou algumas mensagens. Ele as respondeu, educadamente. Mas nada de esperanças.

"Há uma outra", foi o que disse a amiga. A suspeita estava correta. Morava, Rogério, em uma casa em frente a uma praça. Era um sobrado onde tantas vezes eles fizeram amor. Pois bem, Celina resolveu ir até lá. Sentou-se em um banco onde pudesse ver sem ser vista. O entardecer já chamava a noite. Ao longe, ela viu os dois chegando. Ao longe, ela viu a luz do banheiro se acendendo. Era assim com ela também. E, de repente, o apagar das luzes. E o resto foi imaginação. Doida imaginação.

Que palavras ele estaria dizendo? Que promessas estaria fazendo? Que toques teria ela que foram mais convincentes que os seus? O choro não veio dessa vez. Apenas um vazio e uma vontade de caminhar. E ela resolveu se levantar e ir. Enquanto caminhava, pensava com o luar: "Quanto tempo há de demorar para amanhecer?".

E um alívio, talvez provisório, trouxe uma brisa mansa que surpreendeu. A noite estava quente. Mas as temperaturas mudam quando menos se espera.

Já em casa, Celina arrumou-se em despedida do dia que se ia. E desejou um sono bom. O amanhã existe.

Algum encontro

Remexo em minha bolsa. Não sei por que guardo tanta coisa. Toda vez é isso. Mesmo quando troco de bolsa, é um tal de despejar o que nem sei de uma na outra. E quando saio, e quando preciso de alguma coisa, fico remexendo. Há coisas que nem uso mais. Há, inclusive, bilhetes já sem validade. Há receitas que já foram utilizadas. Maquiagens mais velhas e mais novas. Espelho. Fotografias que vão se acumulando. Cartões que recebo. E paro por aqui. Mas tem mais.

A mulher espera que eu encontre. Sorrio desajeitada. Hei de encontrar. Há outras pessoas esperando. Não sei se dou a vez ou se jogo tudo no balcão. E aí encontro. Uma carteira pequena com um cartão de crédito, é só disso que eu preciso. Ela percebe minha agitação e sugere que eu me acalme. E diz, sem acreditar, que com ela acontece a mesma coisa. Quando se tem muito de guardado, tem-se uma certa dificuldade. Excessos trazem peso e nos impedem de encontrar o que precisamos.

Enquanto procuro, remexo em minhas procuras tantas que não deram em nada. As minhas exigências me transformaram em mulher solitária. Tenho temperamento difícil, eu sei, mas os outros são piores. E, além do mais, não são confiáveis. Fui traída por amores e por amigos. E fui acumulando decepções. Os que chegam agora me encontram armada, sem paciência para o improviso. E logo partem. Melhor assim.

No início, quando eu era mais desprevenida, fizeram de mim um alguém sem grandes considerações. Considerei os desprezos e as mentiras e acumulei tudo. E tudo está em mim.

Deixo que quem está atrás passe na minha frente e faça logo o seu pagamento enquanto prossigo na busca. Talvez tenha esquecido em casa. Não. Não é possível. Lembro quando troquei de bolsa.

Troquei de amigos algumas vezes. Conviver não é para amadores. Amei e fui desprezada. Gastei-me em atenção e recebi ausências. Sou daquelas que se põem em prontidão quando o assunto é necessidade. Punha, melhor dizendo. Agora, prefiro a prudência.

Encontrei, enfim, o cartão. Já posso pagar. A mulher me dá um outro sorriso, talvez aliviada. Talvez minha procura a tenha incomodado. Um homem chega em minha direção. "Vera, há quanto tempo." Concentro-me um pouco para acreditar. "Você continua igual, que saudade, como foi difícil encontrá-la."

Fecho a bolsa, fico alguns instantes sem reação, e solto algum dizer desconectado. "Você mora aqui perto? Posso acompanhá-la? Tem tempo para um café?" Frases e mais frases saem de sua ansiedade. Respondo "sim" a todas. Foi ele um amor no passado. Na época, fechei as portas. Gostava de um outro. De um outro que não gostava de mim. E soube apenas do casamento dele. Dos dois, aliás. Será que ele enviuvou?

Enquanto caminhamos, encontro sentimentos que, na época, eu não encontrava. Tenho vontade de dizer que, se ele quiser, eu quero. Fico pensando na chave de casa, jogada na bolsa também. Vai ser difícil encontrar para abrir? Talvez. Agora só sei que gosto do jeito que ele fala e me olha.

Tantos anos depois...

Uma manhã de Carnaval

As louças estão desconfiadas. Muito limpas. Muito organizadas. Em outros tempos, era tanta gente! Alcides já se foi. Como gostava de Carnaval! Era o ano inteiro esperando os dias de folia. Não era de bebida, como muita gente por aqui. Era de alegria. Gostava das canções, do dançar, das histórias que a escola escolhia para contar na avenida. Gostava de gente. De casa cheia.

Ele entrava cantando o meu nome. Meu nome é Maria. Cada dia, ele entoava uma canção diferente com o nome de Maria. Vivemos juntos por quase cinquenta anos. Faltava pouco, quando os céus resolveram que a canção deveria ser lá. Foi um lindo enterro. Claro que chorei muito, claro que discuti com o sono que não vinha. A cama ficou grande demais. E a saudade, também. Os filhos têm os seus filhos. São atenciosos, mas precisam cuidar do plantio. Amigos, eu tenho aos montes. Mas o que ele queria era uma despedida com cantoria. E foi assim que foi.

Hoje, amanheci sozinha. Eu e as histórias que me fazem companhia. Eles vêm para o almoço. Ontem, foram para a avenida. Devem estar dormindo. Queriam que eu fosse, não fui. Fiquei por aqui mesmo. Rezei um pouco. Chorei. Escarafunchei tanta coisa em mim. Está tudo em mim. O que se foi continua em mim.

Eu gostava de ir ao Carnaval com ele. Gostava do seu olhar apaixonado para minha dança. Era para ele que eu fazia. Era para ele que eu distribuía desejos; discretos, mas desejos. E ele sabia. E, quando voltávamos para casa, nos amávamos até o tempo do descanso. E descansávamos juntos, prosseguindo no amor. Quando as crianças eram crianças, acordavam-nos querendo brincar. Brincávamos sem preguiças. E era bom.

Nas manhãs de Carnaval de antigamente, dividíamo-nos preparando as fantasias. Eram os filhos, os amigos dos filhos, os que chegavam. Quem chegava encontrava sorriso e gostava de permanecer. Eles foram crescendo. Os namoros eram tímidos, nos inícios. Depois, foram brincar nos seus terrenos. E vieram os casamentos, e as presenças misturavam-se às ausências. Compreensível. Assim foi quando deixei a casa dos meus pais e finquei raízes com Alcides.

Não sou da nostalgia. Sou da memória. Se choro, choro por um sentimento bom, por uma gratidão de ter conhecido quem conheci, de ter gerado quem gerei, de ter amado. E de ter recebido amor. Sem amor, somos o quê? Pedaços ínfimos em um universo tão gigante? O amor nos faz gigantes. Somos vistos ao longe. Experimentamos a sensação única de que alguém nos espera.

Ele me esperava. Eu o esperava.

Bem, hora de lavar o arroz, de tirar a sujeira do feijão, de preparar o alimento bom. Daqui a pouco, a casa estará cheia. Não gosto que falte nada. Quero olhar para as crianças e desejar que encontrem quem eu encontrei. "A vida é a arte do encontro", disse um poeta de que Alcides gostava.

É assim que me encontro nesta manhã de Carnaval, disposta a viver com o tempo brincalhão, que dança, dança, dança sem nunca se cansar.

Penhorei meu desejo

Acordei assustada. Saindo de um banco ou de uma casa de penhores. Não sei bem ao certo. Sei que a placa ainda está nítida na minha memória. Era penhor, sim. E não era de joias. Já penhorei minhas joias mais de uma vez. Confesso que o exagero me assalta, distraída. Deixo outros afazeres e vou comprar joias. Gasto o que não tenho. Compro em prestações. Em muitas prestações. Agradeço quando me permitem. E volto eufórica. Coloco as joias e me sinto viva. Preencho-me por alguns instantes. Apenas isso.

Não. Mas o meu sonho, desta vez, não era sobre joias. Era sobre desejo. Qual? Não sei contar com detalhes. Sei que havia um alívio de não ter mais desejo algum. Sabina é uma amiga muito esperta. Ela, inclusive, interpreta sonhos. Acho que o melhor é buscar ajuda. Dentro de mim, encontro algumas explicações. Sou muito impulsiva. E muito crente no amor. Sou, sim. Basta um gesto de romantismo para que eu me ponha a sonhar acordada.

"Surgiu minha alma gêmea", "Nunca vi ninguém tão apaixonado", "A perfeição existe", "Ele me disse coisas que eu jamais imaginaria ouvir de um homem", "Romanticamente, ele trouxe o luar até nós". Sabina disse que eu misturo as coisas. Que, quando eu conto, eu minto inocentemente. Isso mesmo. Que eu leio muito e que eu desejo muito e que qualquer gesto acaba ganhando um outro significado. E por isso eu sofro. Ai, meu Deus, como eu sofro! Porque os homens logo partem. E não trazem qualquer explicação. Mesmo que uma mentira inocente. Nada. Eu mando mensagens. E nada. Eu insisto. E nada. Eu choro. E nada de compreensão para a minha dor.

E conheço outro. Um sorriso já me soa como uma proposta de algo mais sério. Ué, por que não? E quando me elogiam, então, aí me desfaço e autorizo que façam de mim o que bem entenderem. Estou errada? Claro que estou. Não preciso nem da Sabina para saber disso. É só olhar para as cicatrizes que carrego na alma. Coleciono desatenções. O certo era ser um pouco mais cuidadosa. Era dar ao tempo autorização para me explicar. Infelizmente, sou uma atropeladora de tempo.

Será que há algum lugar em que se penhore desejo? Sei que não há. Não sou louca. Só estou pensando alto. Um lugar dentro da gente, talvez. Em que eu diga assim: "Pronto, fique aí um pouco. Quando estiver inteira, volto para te buscar, por enquanto é mais prudente nos separarmos". E aí não sofreria. E aí dedicaria mais tempo para outras coisas. Quais coisas? Já estou eu discordando de mim mesma. Não importa. O que importa é aprender com os "nãos". Com as portas que nem abertas foram. Era tudo ilusão.

Sabina diz que a compulsão por comprar joias vem dessas ausências, desses sonhos errados. Não sou de discordar, mas sonho é sonho. E não se despreza, assim, um sonho, chamando-o de errado. Não mesmo.

Hoje é domingo. Dia difícil, né? Principalmente à tarde. Nos dias de semana, o trabalho me faz companhia. Na manhã de domingo, arrumo o que ficou de lado por falta de tempo. Depois, almoço. Depois, descanso um pouco. E aí acordo. Como agora. Tentando entender. Sei que os silêncios também fazem bem. Mas os barulhos do desejo... Nossa! Já ia me esquecendo de que havia decidido penhorá-los todos.

Bobagem. Vou tomar um banho, limpar o que deve ser limpo e sair. Nunca se sabe o que há na próxima esquina.

É tarde demais

Terminei de fazer a barba há pouco. Com a loção de sempre, revivi o frescor. E, agora, sou eu e o espelho. E o pensamento. Não imaginava que pudesse voltar a sentir o que estou sentindo. E, ainda, pela mesma mulher. Será hoje à tarde. Foi assim que combinamos. Um café e o que vier.

A despedida, há anos, não foi das melhores. Eu era ainda inábil com as palavras. Talvez ainda seja. Hoje, entretanto, falo menos. Aprendi a gostar do ouvir.

Falei, naquela época, que não estava pronto. Que havia seriedade de mais e maturidade de menos. Que era melhor dar um tempo. Ah, eu não sabia nada sobre o tempo. Ele vai escapulindo ao nosso controle, sem avisos. Quando vi, estava aqui onde estou. Velho. Achava que os arroubos de ansiedade eram privilégio dos amantes, nos inícios. Estou eu, aqui, contando as horas para o encontro.

Dos meus ditos erráticos até ontem, foram-se mais de quarenta anos. Sim, nos vimos, ontem, e nos reconhecemos. Eu sabia que ela havia enviuvado. Mas nada disse. Não sabia como seria recebido. Quando parti, ela ficou partida. Disse isso numa carta anos depois. Demorou a se apaixonar novamente. Quando se casou, sofri muito. Não entendi por que não retirei o meu medo e fui ao seu encontro. Teríamos vivido uma vida juntos. Eu nunca a esqueci. Briguei com meus sonhos pedindo que outros viessem. Briguei com meus pensamentos. Tive outras mulheres, naturalmente, mas quem me teve, por todos esses anos, foi ela.

Ontem, ela estava olhando uma vitrine, quando nos vimos. Paramos por algum tempo. Paramos o tempo. Quisera tivéssemos esse poder. E eu disse o quanto sentia sua falta. E ela sorriu. Sorriu receptiva. E eu fiz o convite para o café. Achei o mais apropriado. Ela acenou que sim. E foi isso.

Talvez ela vá faltar. Talvez ela tenha dito que sim apenas para rapidamente se ver livre de mim e continuar a examinar as vitrines. Talvez ela vá e se vingue. E diga, como eu disse um dia, que era melhor partir. Tive uma noite indormida. Conversei seriamente comigo e me repreendi. Por que não a procurei antes, se logo depois da despedida eu a queria de volta? Fiquei esperando que ela me procurasse. Por quê? Teimosia? Orgulho? Orgulho de quê? De ter temido o amor?

Mas, se ela ainda guardasse algum ressentimento, não teria sorrido como sorriu. Há pessoas que sorriem de nervoso ou de raiva. De raiva, não.

Ela irá. Certamente. E eu farei diferente desta vez. Os que amam precisam ter mais responsabilidades no caminhar. Para não ferir. Para, se ferir, ajudar a cicatrizar. É tarde demais para corrigir o meu erro? É tarde demais para amar com amor? Só sei que quero que o café se prolongue, que a noite seja só nossa e que nunca mais amanheçamos separados.

O entregador de sentimentos

Carteiro é minha profissão. Entrego cartas. Entrego envelopes. Entrego sentimentos.

Há muita gente que ainda envia cartas. Não me chamem de velho, de ultrapassado, mas prefiro as cartas às mensagens rápidas, que nascem sem estarem prontas. É assim que fazem os apressados, no calor das perturbações escrevem e mandam e ferem. Já os que escrevem cartas ouvem a canção demorada do pensamento. Viajam viagens imaginárias, frequentam lugares, relembram momentos. Nada de pressa.

Antigamente, era comum aguardarem. O tempo da escrita. A correção das rasuras. O tempo da entrega. E a leitura era mais vagarosa, penso eu. Hoje é tudo muito rápido. Por isso não se presta atenção.

Dia desses, surpreendi meu filho irritado com uma mensagem que recebeu. Na tentativa de acalmá-lo, li com ele. Até o final. Ele olhou-me em silêncio. Não havia razões para irritação. A pressa fez com que ele não entendesse a mensagem. Irritou-se com o início, e o resto não pôde dizer o que queria. É assim que é. Parece que acenderam o fogo da intriga. E que o alimentam com a ausência de paciência. É o reino dos perturbados.

Gosto da volta para casa, depois do trabalho. Do anoitecer com a minha mulher. Uma música ao fundo e a conversa. Ela me conta o que fez na farmácia e eu ouço. Ouvir é amar! E eu conto o que fiz e o que imaginei.

Quando entrego os envelopes, fico desejando que sejam boas notícias. Exames de laboratório sempre são aguardados com alguma apreensão. Que sejam surpreendidos com boas notícias os que os recebem. É o que desejo sempre. Entrego contas também, claro. Que tenham como pagar. Que estejam trabalhando. Por que viver desejando o mal ao outro ou sendo indiferente ao outro? Os sentimentos bons que enviamos, recebemos. Tenho crido nisso toda a minha vida. E é por isso que tenho paz. Gostaria de ter mais coisas do que tenho? Certamente. Os desejos vêm. Mas vão. Minha mulher fala muito do que permanece. Ela estudou mais do que eu. Gosta de ler. Preocupa-se com cada informação que passa adiante. É responsável. Eu entrei no ano passado na faculdade. Sou o mais velho da turma, mas não me importo. Desafios novos nos rejuvenescem. Meu filho já é formado. Talvez seja meu professor num dos semestres. Imaginem que privilégio ser aluno do próprio filho. Ele tem as agitações próprias da idade, mas é muito talentoso e tem o que é o mais importante, na minha opinião, para o ser humano: bons sentimentos. O resto se ajeita. Ele é bom, graças a Deus.

Semana que vem é meu aniversário. Eles sempre me surpreendem com algum gesto de amor. Minha mulher e meu filho. Como não ser feliz? Há tantos que buscam uma história de amor, que sonham em ter uma família, que engatinham em busca de atenção. Eu tenho tudo isso. Com todas as imperfeições. Com todas as dores que já nos visitaram. Mas, em nossa casa, as cartas que guardamos são aquelas que nos elevam. Não gostamos de colecionar notícias ruins. Damos a elas a pouca atenção que elas merecem. O tempo precioso é reservado para o que nos une.

Que presente quero de aniversário?

Não vou dizer assim rapidamente, vou escrever uma carta e enviar para que eu mesmo possa recebê-la. Vou escrever com a calma necessária para errar menos. Vou escrever para compreender melhor o que é essencial. E, quando lê-la, vou prestar atenção para que nada se perca. Para que eu não me perca. Mesmo estando tudo bem, é preciso ser cuidadoso. Sentimentos ruins também são entregues. E chegam quando menos se espera. É preciso estar alimentado para enfrentá-los.

É isso que tento fazer todos os dias. Alimento-me, entregando amor.

Na simplicidade, Deus

Seu João vive no interior. E gosta de viver no interior. Não conhece as grandes cidades. Mas não sente falta. Gosta do lugar em que nasceu. Das montanhas que protegem seu vale. Dos riachos. Dos cantos que inauguram seus amanheceres. Identifica os pássaros. Os de canto curto. Os de canto prolongado. Os mais barulhentos. Os mais afinados. E não se incomoda com os galos madrugadores.

Gosta do mexer sem pressa a xícara de café enquanto olha pela janela. A paisagem é sempre a mesma. Nunca é a mesma. Nos dias frios, aconchega-se num velho cobertor de lã. Velho, mas valioso. Para ele. Pelos dias que foram aquecidos. Pela mulher que já partira.

Doente. Valente. Morreu Adélia no inverno. Fazia frio quando o sino da cidadezinha chorou as badaladas tristes. Os amigos foram. O padre lembrou as caridades que Adélia fazia. Era cantora, também. Cantora de Igreja. Afinadíssima como alguns passarinhos, na opinião de João. Por que morrera antes dele? Porque é assim. Preferiria que partissem juntos. Mas não dependeu dele. O que dependeu ele fez. Amou. Cuidou. Tomou os cafés sem pressa reparando na sua mulher. Que era sempre a mesma. Que era sempre diferente.

Conheceu Adélia ainda menina. Gostou do nome e do jeito. Tímida. Recatada. Ensaiou alguma aproximação. Foi feliz. Foram felizes.

Os dias que viveram juntos anteciparam o que acredita João ser o Céu. Amor em abundância. O pouco que tinham, dividiam. Nada de trancafiamentos. Nada de mesquinharias. Nem nos sentimentos. Nem nas posses. Poucas posses tinham os dois. Não tiveram filhos. Tiveram momentos regados por dizeres e pausas. Juntos.

Seu João lembra da amada todos os dias. Sem as dores dos primeiros dias sem ela. Lembra até com alguma alegria. Das coisas engraçadas. Dos erros que cometeram. Dos acanhamentos. Em dias de festa, quando havia gente de fora da cidade, Adélia tinha vergonha de cantar na Igreja. João sabia disso e, por isso, ficava mais junto dela.

Há crianças na rua em que Seu João mora. Ele é aposentado. Tem tempo para contar histórias. E gosta de fazê-lo. No passado, trabalhou na estrada de ferro. Gosta de falar sobre o trajeto dos trens. Sobre a época em que havia passageiros. Sobre as mulheres que chegavam com vestido gordo e chapéu elegante. Sobre os homens que achavam a cidade muito pequena.

Conta histórias que contaram para ele. Sempre dá um jeito de falar de Adélia, da cantora que canta no Céu. Foi quando Felipe quis saber onde ficava o Céu. Seu João olhou para o alto. Abaixou o olhar. Colocou a mão no coração. Apertou. Fechou os olhos. Abriu os olhos. Respirou profundo. Deu um sorriso. E respondeu: "Quem sabe?". Sorriu novamente e certificou: "Que existe, existe".

Leninha pediu outra história. Felipe insistiu nos questionamentos: "E Deus?". "O que é que tem?", devolveu Seu João. "Onde mora Deus?"

Seu João aproveitou a pergunta e perguntou para as crianças. Cada uma respondeu o que quis. "No Céu", "Em todo lugar", "Na Igreja", "No coração da gente". E a cena seguia naquele interior. Seu João sorria e agradecia por viver ali.

Pensava ele, consigo mesmo, numa frase que alguém um dia falou: "Na simplicidade, Deus".

Contou a história, para aquelas crianças, de uma mulher que chegou à estação e não sabia para onde ir. Bonita, mas sem destino. E, na estação, encontrou um homem meio desanimado da vida. Alguma nuvem se apressou e o sol pôde iluminá-los. E, juntos, mudaram um ao outro. E foram felizes. O amor faz essas gracinhas.

Levantou-se e foi até a velha cozinha. Tirou a tampa de um pote de vidro alto e retirou os biscoitos de polvilho. Ajeitou tudo em uma tigela e levou para as crianças. Sentou-se novamente e foi servindo uma a uma. Esqueceu-se do suco. Disse que já pegaria. Enquanto mordia aquele biscoito, fechava os olhos e se lembrava do quanto era boa a vida.

Felipe se ofereceu para pegar o suco. Ele agradeceu. As crianças queriam mais histórias. Ele queria contá-las. Vez ou outra, ele se interrompia para explicar o pio de algum passarinho. O entardecer já chegava. Foi quando Seu João pediu algum silêncio para que vissem juntos mais um pôr do sol. Enquanto via, ele pensava nas perguntas: "Onde fica o Céu?", "Onde mora Deus?".

Tenho medo de mim

Cheguei a essa conclusão. Sozinha.

Era sozinha, até Glauco aparecer. Fiquei viúva cedo e nunca mais quis saber de divisões na minha alma. Meu marido havia sido um homem bom. Calado, mas bom. Morreu de acidente, pouco depois de nos casarmos. Não tivemos filhos. Fiquei derrotada, no início, e depois fui me reerguendo com meu trabalho. Sozinha. Com amigos, mas sozinha.

E o tempo foi escapulindo e, no meu aniversário de cinquenta anos, conheci Glauco. Em uma praça aqui perto. Na fila da pipoca. Eu, distraída, o atropelei. Ele sorriu e me deu lugar na fila. Eu, constrangida, me desculpei. Ele sorriu. E fez um gesto galanteador. E, quando fui pagar a pipoca, ele não permitiu. E eu permiti que ele fosse chegando.

Em pouco mais de seis meses, nos casamos. O luar varria a entrada da Igreja, e as flores nos perfumavam. Dançamos com a leveza necessária, naquela noite, e fomos amar. E decidimos que viveríamos na minha casa. Glauco era, também, viúvo. Os cinco filhos já viviam livremente, dependendo, apenas, dos afetos do pai e nada mais.

Acontece que minha casa é organizada. Exageradamente organizada. Tenho as minhas manias. Quem não as tem? E Glauco não sabe. E não precisa saber. Ele abre o espelho do banheiro para pegar a escova de dente e deixa a marca do dedo como lembrança. Eu limpo, claro. E, no dia seguinte, a marca está lá, me olhando, desafiadora. Suas roupas ficam em exposição. Eu as recolho discretamente. Quando acorda à noite, vai ao banheiro do nosso quarto. E faz barulho. Eu, quando acordo, vou ao outro banheiro que há na casa para não causar nenhum incômodo. Já pensei em explicar isso a ele. Desisti.

Vez em quando, ele resolve me ajudar na cozinha. Não gosto, mas permito. Ele é pouco cuidadoso. Ontem, ele derrubou leite na gaveta de talheres. Eu olhei, queimei por dentro, e disse que tudo bem, entre sorrisos. Não quis limpar, enlouquecidamente, para não parecer que sou assim. Mas sou. Não consigo sair de casa sem deixar tudo limpo e organizado. E é melhor que eu faça. Embora eu já tenha explicado que há uma esponja para copos e taças, e outra para o resto, ele se confunde. E eu tenho que desinfetar depois. Eu pedi para mudar de horário. Para chegar um pouco mais tarde ao trabalho para lavar a louça do café. E para limpar o espelho. E para ajeitar as coisas dele. Se eu saio antes, fica tudo em desarmonia.

Sim, estou gostando da vida ao lado dele. É bom ter alguém. Gosto de dormir abraçada, embora fique tentando me convencer de que ele lava a mão quando vai ao banheiro durante a noite.

Há um quadro que ele me trouxe de presente, mas que não combina com os quadros que tenho. Ele sugeriu pendurar em desalinho. Brincou, dizendo que um pouco de assimetria faz bem. Eu concordei sorrindo e escondi o quadro. Os homens costumam se esquecer dessas coisas.

Os filhos gostam de mim. Dizem que é bom ver o pai novamente acompanhado. Acompanho cada passo dele na casa e vou arrumando o que sai do lugar. Às vezes, acho que ele percebe e pensa que é melhor olhar pela janela e lascar um comentário ou outro, que não nos ofenda. E falar sobre o tempo. Ou sobre o frio que não demora a vir.

No último inverno, eu estava sozinha. Era bom. Era eu mesma. Com outras manias, inclusive, que não revelo. Agora, ele está. Antes tinha medo de ocuparem o que era meu, hoje tenho medo de que ele parta. Que não consiga conviver, que eu suje suas intenções futuras de permanecer. Justo eu, que sou tão limpa.

Tenho medo de mim. De uma reação mais áspera a uma ação qualquer, que pareça inocente, mas que me roube a tranquilidade. Com o meu primeiro marido, morávamos sozinhos. Hoje, os deixados do tempo moram conosco. Gosto de deixar o lençol cuidadosamente enfiado no colchão. Ele deita e tira. Disse, em voz alta, que não gosta de sentir os pés presos. É tão bom quando ele esfrega os seus pés nos meus e sussurra delícias com que eu já havia me desacostumado.

Hoje, vou fazer uma massa para jantarmos. Vou preparar tudo antes que ele chegue e se proponha a me ajudar. Vou fazer uma torta de maçã, que ele adora. Eu também. Servida quente, com um pouco de sorvete. Antes que o inverno chegue.

Em uma festa de São João

Se eu soubesse, não teria ido. Se eu soubesse, teria feito nada no dia de São João.

Vim do Nordeste. Vim das festas em que mesmo os que padeciam de comum tristeza sorriam. Foi assim com minha mãe e minha madrinha. Ambas viúvas. Ambas dançando a alegria em uma festa de São João.

Os tempos são outros. Cansei de ficar em casa. Embotada. Varrendo sem parar como se tivesse o poder de varrer toda a tristeza do mundo. Jânio me deixou. Sem muitos dizeres, porque ele nunca foi amigo das palavras. Encontrou outra. Quando ele anunciou a partida, partida ouvi. Não chorei na hora. Decidi que choraria em segredo, depois.

Ainda amo Jânio. Amo-o com todas as forças que nem tenho. Nunca imaginei minha vida sem ele. Eu o chamava de "meu pequeno", e é ele um homem enorme. Eu olhava para o futuro, e ele morava comigo em todos os anos que ainda viriam. Mas o fato é que ele conheceu Janaína. Mais jovem do que eu. Mais bela, talvez. Não sei dizer. Não quero me diminuir ainda mais.

Nunca mais o vi desde que ele se foi. E foi justamente na festa de São João. Ele e ela. Os fogos pularam do meio da terra e queimaram alguma coisa em mim. Não havia como disfarçar. Os dois me olharam. E eu já não me via. Sorri desajeitada. Os acenos foram rápidos. A dor, não.

Quis ir embora. Quis pedir ao tempo que fizesse alguma coisa. Estava farta da lentidão dos dias. Farta de ouvir dos meus amigos que o tempo cura a dor. Quanto tempo ainda vai demorar? Já faz um ano que ele se foi. O "meu pequeno". Como será que Janaína o chama?

Ele me chamava de "princesinha do norte" e eu gostava. Nem do Norte eu sou, mas eu gostava. Janaína é do Rio. Será que ele a chama de "princesa do rio"?

O que me importa? Deveria ter sido um dia de alívios. Depois de Jânio, eu havia decidido que não mais usaria o coração para o amor. Que seria apenas para a alegria. E é de alegria que é desenhada a festa de São João. Os doces, as músicas, as brincadeiras, o frio. Nem o inverno quis vir este ano. O calor que eu sentia, depois de ter visto o que não deveria, atrapalhou minha compreensão.

Fui tonta para casa. Disse nada a ninguém. Havia acabado de chegar. Jânio viveu seis anos comigo. Passou tão rápido. Diferentemente de hoje, quando a noite não desiste de continuar. Quero que o sono chegue logo para que eu mude logo para o dia seguinte. E para o outro. E para o outro. Até chegar o dia do esquecimento. O dia em que eu abra a janela e veja sem pensar. O pensamento é que me consome a alegria.

Quando eu era criança, sonhava com casamento. Sonhava com uma família cheia de crianças me chamando de mãe. Hoje, eu sonho com uma noite sem sonho. Porque, se sonho, ainda é com ele. Parei de esperar pela sua volta. Parei de desejar que se desentendessem.

Minha mãe e minha madrinha perderam os seus amores. Mas para a morte. É diferente. O luto é outro. O meu está vivo e está dizendo o que antes dizia para mim para outra mulher. E a outra mulher está ainda mais viva porque pode ouvir o que antes eu ouvia.

Sei que eu deveria agradecer o tempo do amor e prosseguir. E encontrar outro amor. É assim com tanta gente. Ainda não consigo. Ainda não sinto o perfume impossível das flores que brotam em minha janela. Por isso tanta gente tem medo de amar. O fim é muito doído. Passei dias me esquecendo de sorrir. Melhorei há pouco. E, justo agora, na festa que lembra os meus sonhos, eu o vejo e ele não me vê. Eu, para ele, sou o ontem. Ou nem isso. Ele, para mim, é o sempre. Não. Vai passar. Eu sei. Um dia, cicatriza. E aí eu vou dançar de novo a quadrilha dos que amam a vida.

Ué! Quem está batendo na porta a essa hora?

Respeite minha memória

Em um restaurante, uma filha mostrava impaciência com a mãe, que repetia as histórias. A filha a interrompia, grosseiramente, dizendo: "Mãe, você já contou isso, você está muito esquecida, você não está bem. Que pena, mas você não está bem!".

A mãe, olhar ao longe, ficava em silêncio, parecia triste, mas voltava ao assunto. A filha a interrompia, começava uma história, falava do marido, falava mal do marido. A mãe tentava ajudar, dizendo que tivesse paciência, pois as pessoas eram diferentes. Falava vagarosamente. E a filha a interrompia, mais uma vez, dizendo: "Mãe, você está muito lenta, está sem cabeça, você não é mais a mesma. Que pena, mas você não está bem!" A mãe não retrucava. Calava-se, obediente. Voltava ao seu silêncio, como se buscasse, dentro de si, o conforto da própria companhia.

Como aquela conversa me incomodou! Quantas vezes a filha disse para a mãe que ela estava sem cabeça, que não estava bem! Repetir histórias, todos nós fazemos, independentemente da idade. Quando percebemos que o outro está esquecido, que o tempo trouxe alguma dificuldade à memória, é preciso respeitar.

Tratar os pais com respeito. Compreender as limitações que todos nós temos em qualquer idade. Não expor as ausências, não ridicularizar, não diminuir quem nos alimentou de vida nos mais fortes anos de suas vidas e que agora, no entardecer, já não têm o mesmo vigor são formas de fortalecer os laços de família, de amor, de acolhimento. Laços que lhes parecem tão fragilizados nessa etapa da vida.

Ao final, a filha, impaciente, não esperou a mãe terminar de comer. "Vamos, tenho que ir embora, você está comendo muito devagar. Também, você não faz nada. Vamos, eu cuido de você." Cuidar não é isso. Nas palavras, estão instrumentos poderosos de diminuir ou elevar as pessoas. Há gestos que fazemos sem refletir. Tempos que perdemos por não compreender. Pessoas que machucamos por não respeitar. Que pena.

Alma arranhada

Ele não entende nada de mulher. Fala como se entendesse. Em sua tosca narrativa, elas se engalfinham para estar com ele. Mentira.

Para minha tristeza, ele é conhecido de meu marido. E, vez ou outra, vem a nossa casa. Não gosto do jeito que ele me olha. Nem do jeito que ele se esconde do meu olhar. Reclamei com meu marido, que ouviu, mas apenas fez que concordou. Não prossegui dizendo. Tenho amigas que talvez ele não aprecie tanto. O tempo foi me ensinando a compreender escolhas e a não invadir espaços. E a respeitar o tempo da compreensão.

Mas, desta vez, ele exagerou. E não venham me justificar com a bebida ou com a decepção, enquanto o time deles perdia um jogo. As palavras expressam sentimentos. E, se só alcançam vida quando há um incentivo, nem por isso deixam de causar dor. E nem por isso deixam de expressar ausências de pensamentos.

Ronaldo, o conhecido de meu marido, o que tem todas as mulheres do mundo, soltou uma brincadeira típica dos que não têm polidez. Disse ao meu marido que, se ele quisesse, apresentaria duas cujas idades somadas dariam a minha. Ele não sabia que eu estava em casa. Não precisava saber. É preciso fazer o correto sempre. Com ou sem testemunhas.

Meu marido foi sucinto: "Amo minha mulher, estou feliz com ela". Ele prosseguiu, sugerindo que não era uma troca. Que era uma brincadeira apenas. E, não satisfeito, coroou: "Bonita, sua mulher não é, mas parece muito prestativa". Meu marido nada disse, pelo menos que eu tivesse ouvido.

Ronaldo é um homem que jamais usou o coração para o amor. Por isso não entende de mulheres, nem de belezas. Sou feia, então? Para quem? Quem são os meus julgadores?

Quando se foram, meu marido viu que eu estava no quarto. Preferi dizer nada. O cansaço daquela noite seria suficiente para me fazer sucumbir ao sono. E a oração feita um pouco antes me evitaria pesadelos. Se eu pudesse, limparia o mundo das grosserias. E dos risos que se embalam dessas grosserias.

Uma vez, meu marido disse que Ronaldo era um brincalhão. Eu disse, sem explicar, que era incapaz de ouvir seu sorriso. Meu marido entendeu e, desde então, falou nada sobre ele.

Não gosto de gracejos de pessoas vulgares. Cultuo a polidez como quem acredita no belo, na elegância. Eu sabia que sobreviveria àquela conversa se fechasse a porta. E se ficasse apenas com meu marido.

Ele voltou do banho e me pegou folheando os meus pensamentos. Quis fazer amor. Quis com tamanho calor que acabou por me aquecer. E, em poucos instantes, éramos um. E o resto já não perturbava os meus pensamentos.

Deitamos depois, de mãos dadas, e nos olhamos em silêncio. A luz do luar quebrava o escuro do quarto. A luz do luar iluminava o mundo. O nosso mundo. E ele me olhava. E me fazia linda. Um perfume vinha dos seus pensamentos. Tantos anos juntos. E não esfriamos. Filhos nasceram e cresceram e não esfriamos. Penso se devo dizer sobre Ronaldo. A cama estava tão limpa que achei desnecessário. Descansou ele o seu dia em mim quando adormeceu em meu seio.

Tenho apreço pela palavra gratidão. E tenho o hábito de cultivar a liberdade de só me enamorar por almas puras. Seja o meu amor, sejam os meus amigos. Os que têm alma arranhada me incomodam apenas pelo tempo efêmero de uns instantes desperdiçados. Depois, me ligo a outros pensamentos e corrijo o rumo do dia.

O sono não se intimidou e chegou quando deveria. Amanhã, acordarei mais uma vez disposta. E certa de que meu marido terá sabedoria para se afastar de quem causa machucaduras em quem ele ama.

Janelas do mundo

Ando pouco. As forças foram embora com as horas. Sem grandes avisos. Um dia, percebi que estava velha.

Para sempre velha. E o que fazia ficou num templo de feitos que só podem ser visitados pela minha memória.

Os dias ficaram lentos e as pernas preguiçosas. Ainda organizo a casa. Gosto da varrição. Para convidar a ternura, canto canções de ontem. Vez ou outra, percebo que a vassoura varre nada, apenas os incômodos de um dia de dor.

Hoje é aniversário de um dia de dor. Quisera eu ter o dom do esquecimento. Ele partiu hoje faz muitos anos. Deixou uma explicação simplória, desenhou culpas e mais culpas em mim e se foi.

Nós nos vimos poucas vezes. Sem nenhum aceno. Quisera não ter acreditado em amor único. Quisera ter me feito nova para uma nova história. Fiquei, entretanto, aguardando a primavera, aguardando um milagre que fizesse renascer um amor tão lindo.

Ele nunca mais voltou. Tive que me virar sozinha com o frio. De tristeza, fiquei rica. Quando alguém trazia alguma notícia, conversava com as lágrimas para que não viessem enfeitar os meus sentimentos. Tenho vergonha. Soube ele me convencer de que o erro foi meu. Hoje, nem sei.

Gosto da janela da minha sala, porque nela tenho o mundo. O bairro foi crescendo e já não sei de todas as vidas. As que conheço, contemplo. As outras, imagino. Não, não tenho vocação para mexericar. Falo pouco dos outros, mas gosto de ver. E, quando vejo, percebo um mundo que é maior do que a minha dor.

Vi, há pouco, o choro doído de uma mãe voltando da última despedida de uma filha atingida por uma bala perdida. Acendi uma vela, na solidão da noite, e pedi luz àquela família. Vi jovens despreparados para o amor se machucando com gritos de ódio. Lamento por todo o ódio que há no mundo.

Cultivei a beleza durante muitos anos e, ainda hoje, me ajeito como posso. Gosto de estar bonita como uma prova de gratidão ao Universo. Sem excessos. Antônio era mais novo do que eu. E a mulher que me sucedeu mais jovem do que nós dois. Disse ele que não foi a idade, mas minha distância. Falou sobre histórias que ele mesmo criou. Pessoas criam histórias e nelas vivem. E nelas se emaranham e chega um dia em que difícil fica saber o que é real e o que é desejo.

Quisera eu ter o poder de curar destinos. Não, agora não estou falando de mim nem de Antônio. Falo da mãe que perdeu a filha. Sei hierarquizar a dor. Não tive filhos. Quando percebi, lá se foram as horas.

Da janela, vejo a pressa e a calmaria. Vejo as grosserias e a gentileza. Fotografo em mim as cenas belas. É com elas que gosto de sonhar.

Jânio tem mais de noventa anos e leva sua mulher em uma cadeira de rodas para se alimentar de sol e para ver o dia. Sempre me comovo. Despistaram os estranhamentos e permaneceram juntos.

Silvia leva o filho que não pode ver para o jogo de futebol. E narra o que acontece. E o abraça em caso de vitória ou de derrota. Daqui, só vejo a ida e a volta. O resto me dizem ou eu imagino.

Tenho uma vizinha que, como o filho de Silvia, também não pode ver. Mas que, como eu, gosta da janela.

Cortinas fechadas são um convite para o fim. Tenho, ainda, um bocado de vida em mim que me faz gostar do belo e rezar para que o feio não incomode tanto a luz da primavera. O feio é o grito de ódio e o espancamento da alma. É o arrogante e o que mente. É o que tem inveja da alegria.

Do meu jeito, no meu tempo, com as minhas cicatrizes, eu vivo a alegria. Gosto das flores, porque penso nas gentes. Nascemos para florescer.

Ainda nem era primavera quando Ághata se foi. Tristes vidas que se cruzam nos discursos dos feios. E que, prematuramente, se despedem. A minha fé me acalma, a morte é pequena demais para terminar um amor tão grande.

Ouço dizeres desanimados. E compreendo. Mas como tenho, por ofício, ver o mundo, sei que os dias se sucedem e que os que causam desnecessária dor partirão. É a minha esperança.

E quanto ao amor, prossegui amando. E amando prosseguirei. Estou velha. E há muita vida descansando em mim. Termino sorrindo para que amanhã eu possa prosseguir.

Memórias construídas

Tenho saudade do mar. Tenho saudade da primeira impressão que tive diante do mar.

Nasci em um interior e demorei a chegar aqui. Vim descalço de sonhos. Vim fugido de um amor. Ela era o que eu tinha, quando nem vida tinha para contar história. Então, eu inventava.

A dor, eu não inventei. A primeira paixão foi cruel. Ela tinha experiência; eu, não. Ela ria da minha velocidade; eu, não. Temia que acabasse. Acabou. Um dia, ela apareceu com outro. Tão menino quanto eu. E disse nada. Não precisava. E foi assim que, pela primeira vez, chorei de amor. Chorei um choro tão doído e tão constante que aprendi a mentir tristezas. E, nelas, ia acreditando. Não queria que soubessem. Eu fui trocado e isso era fato. Passava pela rua dela e imaginava o que faziam. E rascunhava na minha mente as minhas imperfeições. Ele devia ser melhor, se não, ela estaria comigo.

Foi assim que parti e vim para uma cidade em que ninguém me conhecia. E continuei inventando histórias. E, inventando histórias, fui sendo amado. Falei de uma viuvez precoce. "Minha mulher morreu em um dia de junho. Fazia frio e ela não acordou, abraçada a uma foto minha. Uma doença súbita me trouxe o luto. E, por isso, parti." Quando perguntavam de documentos de casamento, eu explicava que havia me despedido de tudo que lembrava aquele dia. Mudei um pouco a história para nos dizer noivos. Assim, não teria que mostrar documento. Acreditei tanto que não fui trocado que acalmei a saudade.

Encontrei outra mulher. E, novamente, me ajoelhei. Repeti alguns erros, talvez. O medo de um novo abandono me fez um criador de vitórias. Mentia para ser amado. Apenas isso. Um dia, ela soube que eu era diferente do que eu dissera. Coisa pouca. E se foi. E se foi dizendo que eu era melhor do que as minhas invencionices. Chorei o perdão. Ela disse nada. Pedi que eu coubesse em um abraço seu. Apenas isso. E ela disse que mentiras a perturbavam. Me lembrei de minha avó, que um dia se chateou comigo. Contei uma mentira boba de escola. De que havia ganhado um prêmio de poesia. E ela soube que nem concurso houvera. E não me abraçou.

Depois da nova dor, fui ver o mar. Um dia, me contaram que é tudo como as águas que vêm e que vão. Que as pegadas vão se despedindo uma a uma. As belas e as estranhas. Então, é preciso esperar. Nem sei bem se me contaram isso. Não quero mais fantasiar. No Carnaval da minha pequena cidade, certa vez, me fantasiei de feliz. Não. Aqui estou eu mentindo. Nem sei se existe essa fantasia. Decerto, não. Se existisse, ia rezar para que fosse Carnaval todo dia. Mas não é.

Conheci uma outra mulher. E, com essa, entendi a paz. Era bom ir à praia. Era bom ver o quanto ela brincava com as espumas. E o quanto me beijava sem perguntas. Dos nossos sentimentos, vieram nossos filhos. Vez ou outra, me pegava dizendo que vivi o que não vivi.

Não sou um mentiroso. Sei disso. Gosto de florescer nas histórias. Apenas isso. Minha mulher percebia e dizia nada. Apenas me amava. Depois de tantos banhos de mar, ela se foi. De uma dessas doenças que ainda não conseguimos vencer. E eu fiquei. Choramos juntos entre túmulos e vidas. Havia os nossos filhos para dar alicerces. E alguma pouca juventude.

Depois dela, não mais fui ao mar. Era como se aquele lugar fosse para viver junto. Seus pulos cheios de gracejos. Seu mexer de braços. Seu correr sorrindo de volta para a areia enquanto eu fazia castelos imaginários com as crianças.

As crianças não mais são crianças. Ela não mais virá correndo. E eu já não tenho vocação para construir castelo algum. Sobrou em mim um casebre de tempo. Ruindo a cada dia.

Estou em um hospital, me recuperando de um corte. Abriram. Tiraram alguma coisa. E fecharam. Dizem que estou bem. Que tudo deu certo. Não sei se é verdade ou não. A verdade é que tenho saudade do mar. Algumas pessoas dizem que, na morte, alguém que amamos vem nos buscar e nos conduzir para que tenhamos segurança. Fico imaginando minha mulher saindo das águas do mar e me estendendo as mãos e me chamando para um banho eterno de amor.

Se eu quiser me lembrar das outras que partiram, consigo, mas tenho que me esforçar muito. Talvez me lembre mais da dor que senti quando elas partiram. É assim que é. Um dia, varremos as lembranças que não fazem falta e nos ocupamos de organizar os espaços que, na alma, se chamam gratidão. Nas mentiras, encontrei uma mulher de verdade. E filhos de verdade. E uma vida de verdade. E senti que o amor só é amor quando não exige perfeições.

Nas lembranças de gratidão, vejo o sorriso de minha mulher de verdade admirando as minhas histórias e gostando de estar ali, comigo. Não sei se dei a ela tudo o que eu deveria ter dado. Não sei se agradeci o necessário. Éramos, um para o outro, o bastante. E foi assim que pegamos ondas, que ralamos no raso, algumas vezes, que enfrentamos profundidades. Juntos.

Se eu conseguir sair daqui, quero ver o mar mais uma vez. E, se possível, entrar na água e chorar o quanto eu aguentar. E, depois, estar pronto para o que tiver que acontecer. Não. Não estou triste. Estou apenas nadando em memórias verdadeiras. E sorrindo acompanhado.

Felicidade é verbo

Não me venha um apressado dizer que felicidade não é verbo, que é substantivo. Eu sei a diferença. Mas quero pensar que a felicidade é verbo. Principalmente, no momento em que vivo. E sei, também, que sou aquilo que penso.

Não pensem que sou teimoso. Se pensarem isso, o problema não mais me pertence. Já aprendi que não devo deixar os outros decidirem sobre mim. Não lhes dou esse poder. Mesmo quando me magoam. Mesmo quando dizem inverdades ou quando partem parte de mim, como acontece com os amores que se vão.

Sou enfermeiro. E, um dia desses, fui ofendido. Não entendi muito bem. Não há entendimento para essas coisas. A violência é uma "não ação" humana. Por isso gosto de pensar que a felicidade é verbo. É ação.

Levanto cedo e limpo, de mim, as ofensas do dia anterior. E, também, as estranhas companhias do pensamento sem pensamento. Acordar é verbo. Despertar para o compromisso de prosseguir, também. Mesmo convivendo com a dor. O dia que me fez enfermeiro foi um dia de sonhos. O primeiro hospital. A primeira oportunidade de amainar a dor. De roubar um riso da escuridão da ausência de esperança. Chamar pelo nome cada paciente. Pisar com calma no seu frágil território. Ninguém quer adoecer, mas adoecemos. Ninguém quer receber uma notícia triste, mas recebemos.

Consolei famílias inconsoláveis. Ouvi relatos repetidos de dias felizes que ficaram guardados na memória. Vi silêncios e compreendi. E é desse verbo cuidar que me ponho a expandir a alma.

Volto cansado para casa, mas repleto de nomes, de histórias, de possibilidades. E descanso do dia agradecido por minha escolha. Mas esses dias têm sido mais difíceis. As famílias não podem amar os seus entes amados, porque o vírus é caprichoso. Chegou em silêncio e bagunçou o mundo. Os que se despedem do mundo vão sem despedidas. E alguns não tiveram tempo nem espaço para receber cuidados nos dias finais. Poderiam ter permanecido por mais tempo.

Há verbos que vejo sendo conjugados à exaustão. Agredir, desrespeitar, desconsiderar, não amar. Sim, prefiro falar sobre a ausência do amor a exaltar a presença do ódio. Porque os que não amam conjugam o verbo ignorar. Ignorar que a felicidade está na ação. Na ação correta de cuidar de alguém, de fazer parte da engrenagem da bondade que perfuma o mundo, de conhecer e respeitar a ciência e a consciência de que somos humanos.

Tenho ficado assustado com o que vejo. Onde foi que nos perdemos? Não sou historiador para falar, com detalhes, de outros tempos. Sou cuidador de vidas, já disse. Mas sei que a vida que vivo, hoje, me faz descrente da humanidade. É isso que temo. O verbo desistir vai contra todas as minhas crenças. Mas ser agredido por cuidar de vidas é impensável.

Transformaram uma doença em um embate político. Políticos decidem sobre medicamentos e não os médicos. Mentir virou o verbo da moda. Espalham notícias incorretas. Acreditam no que querem. Imaginava que mito fosse uma palavra usada para os conhecimentos de antigamente ou para histórias que trouxessem verdades com delicadezas. Os mitos de hoje viraram paredes para deixar de ver o necessário. Nada de razão nas disputas, apenas disputas.

Felicidade é verbo, sim. Eu preciso acreditar nisso para não desistir do que dá sentido a minha vida. Vou colocar nas peneiras da paciência as sujeiras que vêm dessas pessoas que agridem e vou continuar fazendo a enfermagem do mundo em cada leito em que encontre alguém que, de mim, necessite. E, quando me aproximo, sei do poder que tenho de abrir as janelas de um dia bom, de acalmar as confusões que o isolamento traz, de dizer que amar é o mais lindo dos verbos.

Foi bom escrever. Assim converso comigo e me destravo dos desânimos. Daqui a pouco, vou para o hospital, vestido do que tenho de melhor. Do que há em mim e do que aprendo quando conjugo verbos corretos. Vou fazer felizes os que cruzam meu caminho. E jamais vou deixar os infelizes me ditarem o rumo.

Entendem por que é verbo?

O despedir do dia

Nasci aqui e, aqui, aprendi a ver o pôr do sol descansando na praia. E, depois, adormecendo. E, depois, deixando a noite acontecer.

Não sou muito da noite, mas gosto do luar. Fico imaginando que a mesma lua que vejo é vista por gentes de outros cantos. Que as lembranças que tenho, outros também têm. Com histórias diferentes, mas com sentimentos comuns.

Os dias se despedem, isso é fato.

Gosto de levar minha filha para ver o pôr do sol. Nos dias em que tenho o direito de estar com ela. Sua mãe não gosta de mim. É o que Marina me repete. Aos sete anos, ela é obrigada a ouvir, sobre mim, o que não sou.

A nossa despedida não foi bela. Eu havia pedido um tempo na quentura de tantos sentimentos que nos esfriavam. E ela decidiu terminar. Fiz o que deve fazer quem sente que ama. Enviei uma foto com um espaço na mesa preparado para estarmos juntos. Ela se sentiu invadida. Queria seu espaço. Disse coisas a mim que só perdoei por entender que não nasceram dos seus sentimentos. Fez os meus dias acordarem sofridos. Roubou de nós amanheceres acompanhados que nos faziam tão bem. Tentei argumentar. Algumas vezes, ela demorou dias para responder uma mensagem. Minha mãe, que ouvia minha dor, deu a isso o nome de perversidade. É perverso fazer o outro sofrer. Principalmente, quando o outro ocupou espaços tão aconchegantes dentro de nós.

Marina é o fruto de um amor jovem. De dias de sonhos acompanhados. Nos encaixávamos em tudo. Ríamos de tolices e éramos ligeiros na arte de surpreender. Bilhetes eram deixados em algum canto. Fazíamos uma trilha e tomávamos banho de cachoeira, depois de mar. E nos beijávamos sem pressa.

Não sei o que acontece comigo, mas tenho a teimosia de lembrar, apenas, os bons momentos. É claro que não era sempre assim. Mas, quando era, já estava bom. Tão bom.

Ela diz a nossa filha que eu logo arrumei outra. Que, se a amasse, deveria ter esperado. Mas foi ela que me disse que o amor acabou. Foi ela que, teimosamente, disse que os ciclos se encerram. Foi ela que espantou de nós a cumplicidade.

Quero voltar à mesa posta. Eu arrumei três espaços. Um para mim, um para ela, um para o nosso amor. Coloquei uma rosa no lugar que ela gostava. E fotografei. Aprendi que é bobagem partir se ainda há sentimento. Que desperdiçar os dias não é prova de compreensão do próprio viver. Mas quanto mais eu dizia, menos ela ouvia. E, depois, foi o não atender. E, depois, foi o ódio quando comecei uma nova história. E a nova história começou, exatamente, no dia do café preparado.

Andava triste, vendo o mar e olhando o nada. E nos tropeçamos. Ela tem o nome da minha filha, Marina. E, subitamente, estávamos juntos. Sobre ela, conto um outro dia. O que me preocupa, agora, é minha filha. Não se ensina a viver com sentimentos mesquinhos. Eu nunca digo nada que diminua a sua mãe. Pelo contrário. Conto para minha filha histórias que vivemos juntos, quando ela estava e ainda não entendia. E éramos felizes. Mesmo com as nuvens. Mesmo com as indelicadezas da mente humana que nos levam a conclusões tão precipitadas.

Cada dia que se despede é um dia que se prepara. É, por isso, que a paciência é um sopro tão refrescante. Mandar no amanhã é para os precipitados. Tento não ser um desses. Às vezes, consigo; às vezes, não. Às vezes, estou frágil e é a ansiedade que manda em mim. E faço o que não devia. E, depois, me arrependo. E fico dando voltas em meu pensamento, tentando entender o que não tem entendimento.

A mulher que, hoje, amo me traz serenidade. No início, era na mãe da minha filha que pensava. Mas o tempo foi me ensinando a amar o amor que me ama. E, assim, foi esfriando de um lado para aquecer do outro. Foi vendo o sol descansar e o sol acordar. Sem a teimosia da espera. Que antes eu chamava de esperança.

Talvez o desenlace da primeira história só tenha ocorrido porque eu nunca economizei no dizer os meus sentimentos e no deixar aberta a porta do reinício. Como ela se trancou e jurou não mais entrar, deixei de lado o tempo da humilhação e busquei o tempo do reencontro comigo mesmo e com um outro amor.

Hoje, o dia se despede mais lento. É verão. As pessoas se queimam na praia. Alguns corações também estão queimando. Dores de amor são mais comuns do que se imagina. Mas, sem esses sentimentos, que sabor teria o viver?

Sonho que Marina sonhe por si mesma. Que faça as suas escolhas. Que sofra, se necessário. Mas que compreenda que, mesmo se repetindo todos os dias, o pôr do sol merece uma atenção especial.

Para onde olho

Faz algum tempo que estou por aqui. Sou bem tratada. Médicos e enfermeiros se desdobram para que eu volte a ser quem, um dia, eu fui.

As doenças nos interrompem. Nos trazem pausas. E algumas podem nos levar. Não. Ainda não quero ir. Tenho muito para ver. Gosto de ver a vida que passa por mim. Gosto dos meus. Ficam, meus filhos e netos, disputando quem é capaz de me fazer sorrir mais. Gosto dos risos, embora tenha me acostumado a chorar. Viver é se equilibrar nesses dois passos. A dor e a alegria.

Olho para os lados e vejo os aparelhos ligados. Não entendo muito. Mas confio. Do que entendo, fico calma. Das pessoas. Cada um que, de mim, se aproxima traz um olhar bom de quem sabe que preciso deles para voltar a caminhar com os meus próprios pés. Mesmo que mais vagarosos. Mas, ainda assim, meus.

Quando durmo, sonho. Quando acordo, prossigo sonhando. Não sou uma mulher de desistências. Enfrento as doenças como enfrento os pessimismos. Vou adiante. Lutando com a braveza que desenvolvi em tantos embates. Acho graça quando dizem que basta me virar para o lado direito que me acalmo e adormeço sorrindo. Sabem nada das minhas razões. Eu conto.

Sou uma mulher que cultiva a gratidão. E que dialoga a gratidão com a saudade. Meu marido se foi há algum tempo. Que marido tive! Que homem único! Um cultuador das delicadezas, um romântico em ação ininterrupta, um amor que não se encontra, a não ser por bênçãos. Fui abençoada, desde os primeiros toques. Fui abençoada, também, nos choros. Perdemos vidas que, juntos, geramos. Dois filhos se foram, enquanto chorávamos a incompreensão. Juntos, nos amando no pranto. Juntos, nos amando em noites em que o tempo não foi capaz de suspender as emoções. Era ele um menino, aos oitenta. Posso garantir. E querem saber por que eu me pacifico, quando me colocam deitada pelo lado direito? Falo sem cerimônias. Era assim que dormíamos. Eu gostava de dormir enquanto o via. Nos fitávamos enlaçados. Nos encostávamos com tatos delicados de boa noite. E, assim, os meus olhos intervalavam a sua face descansada com o sono que ia me conduzindo. E, assim, mais um dia se despedia.

E o que chegava nos encontrava com o mesmo sentir. Seu beijo matinal me fazia relembrar o gosto bom da vida. E, juntos, nos levantávamos para enfrentar o dia. Foram anos, foram décadas de um olhar assim. Agora, ele não mais está. Mas, se perguntam para onde olho, respondo: "Para o lado que me lembra o quanto de belo tenho para lembrar. E que me ensina que, ao lembrar do que foi, fico mais forte para querer continuar a olhar".

Minha neta sorri para mim quando pergunto sobre a data do casamento. Ela e o noivo me querem no altar. Eu também quero estar lá. Esperam a minha recuperação para estar com eles. Minha bisneta já fala da formatura. Eu quero estar, também. Eu vou estar.

Meus dois filhos brincam, querendo saber quem é o mais amado. Ora, meu coração – que já mostrou à doença que é mais forte do que ela – é aconchegante o suficiente para irrigar sentimentos suficientes para envolver os dois, frutos do meu amor. Os dois que permaneceram comigo no entardecer da minha vida. Que fique claro que, quando falo em entardecer, não falo em despedida. Não tenho pressa nenhuma de partir. Gosto do que construí e sou grata por me sentir tão amada.

Parece estranho precisar que outros nos deem banho, que outros nos mudem de um lugar para o outro. Parece e é. O bom é não precisar adoecer. Mas, nesses momentos de fragilidade, nos lembramos também de que é assim o viver. Uma troca. Um ajudar contínuo. Uma paciente entrega.

Acordei, hoje, pensando no meu marido. Pensar nele não dói. O tempo foi transformando sua ausência em uma presença constante de amor. Ele está junto de Deus, eu sei. E de lá, ele olha por mim. E continua me amando. E mais não vou dizer.

Os mistérios desafiam os que acham que sabem tudo. Não preciso saber, preciso sentir e, sentindo, acreditar.

Uma moça que faz a limpeza do quarto onde estou, invariavelmente, me olha e faz uma oração. No domingo passado, foi o dia da mulher. Meus filhos entregaram doces, flores de chocolate em gratidão ao que fazem por mim. Ela, também, ganhou. E chorou de emoção. E cantou um canto religioso pedindo bênçãos. Assim vou passando esses dias. Entre sonos e sonhos, lembrando o ontem e desejando estar nos amanhãs daqueles que amo e que, de mim, cuidam sem reclamar.

Estava sonolenta olhando para o lado que gosto, quando ouvi os meus netos disputando para ver quem dormiria comigo naquela noite. A isso, dou o nome de felicidade; o resto, o tempo, os médicos, resolvem. E Deus, naturalmente, a Quem agradeço todos os dias por dias tão bons.

SOBRE A AMIZADE

A sabedoria de Lygia

Lygia é escritora. Entendeu, desde cedo, sua vocação. Criou personagens e decidiu seus destinos. Compreendeu o âmago dos que sofrem, dos que riem, dos que dizem, dos que ouvem. Não fez julgamentos. Empacotou dúvidas e enviou aos leitores. "Decidam." Nada de juízos morais, nada de conclusões apressadas, nada de rótulos fáceis. As personagens devem ser desnudadas, aos poucos, no avançar das páginas, no desenrolar das narrativas.

A literatura tem esta beleza: história dos sentimentos. Com as profundezas necessárias. O que é raso não é literatura. É descartável. Lygia preocupa-se com o duradouro. Nos textos e na vida.

Pois bem. Em um desses dias – belos são os dias comuns –, Lygia soltou um comentário em tom elegante: "Falam muito, essas pessoas, sabem tudo; já eu... tenho tantas dúvidas". Disse isso e alimentou-se de algumas uvas, sem pressa, saboreando o sabor adocicado. "Hum, que delícia!" Prazeres simples enfeitam os seus dias. Uma echarpe, presente de algum amigo, descansava sobre os seus seios. Lá estava ela, dona de muita sabedoria e ciosa de que as arrogâncias não nos acrescentam nada.

Gosto de ouvir Lygia e suas palavras entremeadas de experiências e bom humor. Não gosto de ouvir pessoas que "sabem tudo". Fico perplexo em ouvir ditos apressados sobre assuntos desconhecidos. Lá vem uma opinião, não uma pergunta. Lá vem um dizer destilando ódio sobre quem pouco se conhece.

Há um antigo ensinamento árabe que nos relembra que há dois ouvidos e apenas uma boca. Há um outro, indiano, que diz: "Quando falares, cuida para que tuas palavras sejam melhores que o silêncio".

Lygia aprecia o silêncio. Os que cultuam a sabedoria apreciam o silêncio. O pensar nasce do silêncio. As palavras nascidas não do pensamento, mas dos desejos mal administrados são perigosas. Amizades são desfeitas. Tardes de domingo, desperdiçadas.

Canso-me dos que pontificam verdades. Sobre qualquer assunto. Basta que narrem algum drama e lá estão eles, os que pouco pensam e muito dizem. Sobre política ou economia, sobre medicina ou filosofia, sobre a vida do outro. Ah, sim, eis o prato predileto no banquete dos supérfluos: a vida dos outros. Não. Nada de celebrar a vitória dos outros, suas conquistas, seus valores, sua contribuição para a melhoria do mundo. Gostam é de fazer torto o que nem sempre torto é.

Lygia prefere falar do ontem e das conquistas dos desbravadores de tantas áreas. Gosta do tema do amor. Do amor que nos expande. Do amor que nos oferece o melhor de nós. Em suas mãos marcadas de lindas histórias, o desenho do tempo gasto com a pena escrevedora. Em sua alma jovem, a esperança de um mundo que ainda nos surpreenda. "Nem tudo está perdido", ensina ela. "Prossigamos, caminhando."

Quando, cansado, recosto minhas decepções em seu colo gentil, ela apenas sorri e me relembra do prazer de viver. Um gole d'água, um café fumegante, um doce qualquer para nos lambuzarmos de delícias simples e talvez um vinho. Por que não? Para celebrar o que nem sabemos. Sabemos. Os instantes bem acompanhados merecem que brindemos.

Conheço outras Lygias, com outros nomes, com outros ofícios. Conheço gente que, na sensatez dos cotidianos, me ajuda a respirar um ar puro. Mas preciso confessar que também conheço de poluições. De gente de quem é melhor estar distante. Que acinzenta dias ensolarados. Que nos traz dissabores desnecessários.

Escolher dizer "sim" ou dizer "não" é prova de discernimento, de sabedoria. Espero acertar mais. Olhando para Lygia, para as Lygias que aquecem sem queimar, que cultuam os silêncios sábios e os dizeres edificantes.

Bibi Ferreira, imortal

"Morreu Bibi Ferreira", foi o que ouvi quando ainda não havia me dado conta de que parte do dia já havia partido. O tempo é assim. Soberano. Morreu a soberana dos palcos. Morreu a dama que ousou ir além dos mortais. Fez-se eterna em personagens, fez-se eterna nas canções.

Piaf reviveu e, também, Amália e, também, Sinatra. Isso, recentemente. A idade não a impediu de reinar. Sua arte foi completa. Dirigiu com afinco, atuou com energia, amou sem economias.

Mexo a cabeça, discordando do que ouvi. Não pode ter morrido. Os mitos não morrem, nem as fadas, nem as deusas. Morreu Abigail, Bibi permaneceu. Seu pai a olhou com profecia e sua mãe ofereceu-lhe disciplina. A vida de artista é árdua. Foi ela valente. Não era possível voltar atrás. Não era possível abandonar a razão pela qual ela nascera. E assim é que se deu a sua trajetória.

O bom humor dialogava com a sisudez necessária de quem percorre a perfeição. As palavras não podem ser ditas de qualquer maneira. As canções precisam obedecer ao que vem do alto. E o alto nunca a assombrou.

Nas coxias, a gratidão; no palco, a iluminação; no despedir--se, a consciência de que era preciso permanecer.

As pessoas se vão depois de um espetáculo como *Gota d' água* sorvendo a dor de Joana, da mulher abandonada. Se vão depois de *My Fair Lady*, cantarolando as canções que fizeram a mulher das ruas acreditar que podia ser florista. Se vão depois de *O homem de La Mancha*, marchando em profissão de valentia contra os moinhos de vento e a favor de um amor romanticamente encontrado.

Bibi operou esses milagres. A palavra foi sua cúmplice. O respeito à palavra e o respeito a quem deve ouvir a palavra. A palavra que ora me vem é "imortal".

Ninguém poderá falar da tragédia ou da comédia sem se lembrar dela. Do fazer rir ao fazer doer. A alma dói. Dói a dor necessária. A arte não se curva ao imediatismo. Ela resgata o esquecido e acena para o que ainda está por vir.

Bibi foi generosa com os jovens. Lançou esperanças. Imaginou novos tempos, novas formas de interpretar, respeitando a atemporal consciência de que o teatro precisa prosseguir. Falam dos seus feitos. Os que a conheceram têm histórias para contar. Eu tenho. E não são poucas.

"Eu sei que você está sofrendo de amor, meu amigo, mas posso garantir uma coisa, chegará um dia em que você terá saudade de sofrer de amor."

"Como assim?"

"Quando se sofre de amor, sabe-se vivo, quisera eu voltar a sofrer de amor."

Entre as estrelas, Abigail está amando. E sorrindo o sorriso lindo que acolhia. Basta olhar para o alto que é possível vê-la. Quando Procópio, seu pai, escolheu esse nome, decidiu: todos a chamarão de Bibi.

Bibi, a imortal. Bibi, a que permanece em paz.

Ignácio de Loyola Brandão – O menino e seu interior

José Maria Ferreira Brandão foi marceneiro, seleiro, barbeiro e delegado de polícia. Foi, também, avô de um dos maiores nomes da literatura contemporânea, Ignácio de Loyola Brandão.

Com mais de quarenta livros publicados em diversas línguas, Ignácio, saído de sua querida Araraquara, ganhou o mundo. Morou fora do Brasil. E viaja muito. Vive de cidade em cidade cumprindo sua agenda com a palavra. Onde quer que esteja, leva consigo sua história. E ela começa num lugar de onde ele nunca saiu. De um lugar que vive no tempo. Nas rodas de cadeira e de conversa que se espalhavam pelas calçadas. No cheiro do café e do bolo que se misturava às aventuras da infância na sua terra natal. Época em que via caminhão, casas e chafariz nos pedaços de madeira do barracão do avô, o José de tantos talentos. Pai de seu pai.

Nesse "lugar mágico que cheirava a madeira" havia de tudo. Lixas, porcas, lápis quadrado vermelho de marceneiro, alicates, limas, verniz. E lá no fundo, uma caixa vermelha. Vermelha, empoeirada. Coberta pela fuligem e repleta de memórias. Tantas e tão importantes que ninguém dela podia chegar perto. E isso era o bastante para despertar a curiosidade das crianças. Principalmente a do menino Ignácio, o preferido de seu avô. Numa manhã, o velho José entrou na oficina, pegou a chave, abriu a caixa vermelha e gritou. A caixa estava vazia. Alguém a abrira e retirara de dentro "os olhos cegos dos cavalos loucos", os olhos de vidro dos cavalos do carrossel. Um carrossel de madeira que girava pelas cidades e que trouxera alegria à vida de seu José. Das lembranças dos melhores anos vividos pelo avô, sobrara o que estava naquela caixa. Agora, só memórias. Agora, as majestosas memórias. E a vida toda para recordá-las. Memórias registradas nas histórias que Ignácio de Loyola Brandão, o menino e o escritor, compartilha conosco em seu livro *Os olhos cegos dos cavalos loucos* e em tantos outros.

O menino e seu interior
A infância é um terreno sempre fértil. Vive para sempre em nossa maneira de ver o mundo. Em nosso olhar curioso de criança que quer sempre mais do mundo e dos homens. Passa o tempo, mas não se perde o que passou. São as memórias que nos mantêm vivas as sensações, as emoções e aqueles que se vão, sem nunca nos deixar.

O menino Ignácio perdeu, num jogo com os amigos, as bolinhas brancas, os olhos dos cavalos do carrossel. Entristeceu seu avô. Mas Ignácio, o escritor, publicou, nesse livro, seu pedido de desculpas ao velho José. Mostrou o seu menino. A sua infância. O seu interior. Mundo de menino vivido e revivido pelo homem Ignácio, menino que nasceu com nome de santo. Santificou e santifica a sua vida rendendo homenagens à sua excelência, como gostava de dizer Tatiana Belinky, a palavra. Sua prosa encanta crianças e adultos. Seu humor tributa a vida. E tudo nasceu no interior. No circo, na cerca, na roda de conversa. "Do circo de cavalinhos de pau sobraram os olhos. E agora os olhos se foram. Se foram como todos nós vamos." As memórias ficam. Do avô. De Ignácio. De todos nós.

Morreu um poeta

Morreu um poeta. Um poeta que viveu derrubando os estreitamentos da vida. Um poeta amigo meu.

Eu o conheci dizendo temas que abriam espaços e que deixavam ver o que, sem ele, seria difícil. Em sua fala, cabiam todas as belezas do mundo.

O poeta ria o riso elegante. Ouvia os nossos dizeres como quem ouve uma canção bonita. Sentava numa poltrona de saudades e ia destecendo as histórias que, nas gentes e nos livros, serviram para aquecê-lo.

Era altivo e elegante. Conhecedor da alma da mulher, fez poemas inspirados e inspiradores. Eu o conheci numa tarde de um dia feliz. Foi me dizendo histórias. Foi me ouvindo sem pressa. E foi assim que nos demos as mãos. Eu e o príncipe dos poetas. Eu e o Paulo da São Paulo que ele tanto amou. Eu e o brasileiro cheio de certezas de um dia bom que pedia autorização para chegar. Eu e o autorizador de afetos. E demos as mãos para nunca mais soltar. Nem agora, quando ele já não mais está.

Abro um livro com sua dedicatória e soletro letras que me dizem muito, que me dizem tudo. Era ele um entusiasta das qualidades humanas. Nada de observações menores, nada de lamúrias sobre o que falta. Paulo Bomfim era um homem de celebrações. Celebra a eternidade a sua chegada. É sempre assim quando morre um poeta. Basta ter olhos de ver os luares. Não são iguais aos de todo dia. Tem um sopro que atinge quem não tem medo do amor. De qualquer amor. Basta abrir a janela, quando um sol se põe a fazer anúncios.

Anunciava ele que era preciso, a cada um, encontrar um tema para viver. Sem um tema, quem somos nós? Empurradores do tempo? Aguardadores do fim? Viver é transgredir. É dizer às convenções que só permaneçam se se explicarem. Obedecer aos que se acham mandadores do destino não cabe na alma de um poeta. Destino, escrevemos nós, com as tintas que tivermos, com a caligrafia que conseguirmos, com sangue e amor.

Queria eu que ele ficasse para celebrar mais alguns aniversários. Ele gostava de ir. E gostava de sair. O poeta era inquieto. Só se acalmava para receber amor. E para distribuir amor.

É assim que o vejo. É assim que o convido a permanecer em mim. Lendo os seus dizeres. Guardando os nossos sagrados encontros. As cenas de trocas de olhares entre ele e Lygia, a escritora, me faziam compreender a palavra cumplicidade. Em quase cem anos.

Ah, tempo caprichoso. Tudo passou tão rápido. O quarto do poeta já não guarda mais o seu corpo. A velha cama teve que se despedir dos seus cansaços. A torneira, de onde a água pedia autorização para banhar o corpo do poeta, também está silenciosa.

Seus velhos amigos se debruçam na palavra "saudade". E, do alto, ele nos sorri delicadezas explicando, do seu jeito, que foi preciso partir para viver, finalmente, a pura poesia, sem necessidades nem obrigações. A poesia da alma, da alma livre, que se corporifica nas memórias dos que continuam a tentar viver o amor.

Obrigado, poeta.

A despedida do olhar

Nos olhamos, ontem, pela última vez.

Quando ele chegou, tão pequeno, eu não imaginava o quanto aquele olhar marcaria minha vida.

Foi um amigo que me trouxe. Era uma festa de aniversário. E ele ficou. Comigo. Visitando todos os tipos de dias. Consolando as partidas que tive. E não foram poucas. Brincando de me fazer rir, quando as nuvens teimavam em esconder a felicidade. Silencioso, compreendia as dores humanas. E se esforçava para explicar que sempre há algo mais.

Agora, enquanto dedilho algumas palavras sobre ele, que falava pelo olhar, fico lembrando da sua patinha interrompendo as escritas para pedir carinho. E eu dava. Parava o texto e testemunhava como é bom se sentir amado. Livremente amado. Sem exigências. Sem pequenas ou grandes raivas. Sem jogo nenhum. Seu jogo era surpreender com seus pulos, suas lambidas, seu estar ao lado.

Viajávamos juntos. Eu dirigia e o via me vendo do banco de trás. Chegávamos juntos aos destinos. Qualquer destino para ele estava bom, desde que estivesse comigo. Qualquer canto era um canto do brincar.

Nos dias de doença, ele comia na minha mão. E me olhava, agradecido.

Um dia, chegou uma irmãzinha, vinda da rua, machucada, Princesa. Ele olhou. Virou os olhos. Estranhou. Olhou novamente e a acolheu. Depois, veio outra, Serena. Ele, também, a acolheu. Sabia que o seu espaço era sagrado. E nem se perturbava quando eram elas que decidiam dar as ordens.

Como era bom viajar e ver os três juntos. Como era bom chegar em casa e ser recebido em festa. Como era bom acordar o dia com os barulhos das patas e das alegrias.

Nos dias que antecederam sua partida, ele não estava se sentindo bem. Costumávamos nos deitar no sofá para ver filmes. E eu tinha que fazer carinho. Ou isso ou ele reclamava, emitindo sons de exigência. Como ele não estava bem, não conseguiu subir. Deitei, então, no chão, e nos olhamos. Tiramos juntos nossa última foto.

Nos inícios, ele caminhava muito rápido. E eu ralhava com ele. Tentando explicar como se deve passear. Eu não queria que fosse rápido. Por que esses seres de amor vivem tão pouco? Por que partem, assim, nos deixando partidos?

Suas últimas caminhadas eram preguiçosas. Mas ele gostava. Amava o seu passeador. Que também esteve na despedida. Obrigado, Denis.

Lu e Edivânia são as meninas que comigo vivem. Hoje me olham tentando entender. Sabemos que as finitudes fazem parte do que somos. Que saber se despedir é prova de compreensão da vida. Mas é difícil. É difícil dizer adeus. É difícil encontrar os vazios dentro da gente e dizer a eles que, daqui a pouco, a dor vira saudade.

Olho as fotos e remexo minhas lembranças. Maria, a doce, tenta me consolar.

Vittorio gostava de água, como todo labrador. Entrávamos juntos no mar. E juntos nos secávamos ao sol companheiro do dia. Nas piscinas, ele jogava água e se debatia com gratidão.

Minha mãe, que o teve ao lado tantas vezes, perguntou por ele. "É o cachorro mais doce que eu já vi, meu filho."

Barriguinha ao ar e o pedido de carinho. Foi a última vez. O filme passava e eu desligava a atenção para ficar com ele. Algo me dizia que era uma despedida. Eu havia acabado de voltar de viagem. Voltei antes. Vi o ano entrar perto do mar e quis voltar. Estava triste. Estou triste. Mas estou agradecido por ter aprendido que nenhuma criatura passa por acaso pelas nossas vidas.

Não tenho vergonha de chorar. Nem de dizer que choro. Enquanto escrevo, agora, choro. Paro um pouco. Viajo pelo tempo. Volto. Princesa e Serena me olham e tentam preencher. Elas estão tristes, eu sei. Olham para a porta da entrada imaginando que ele foi apenas dar um passeio. E que, daqui a pouco, voltará, grandalhão, fazendo barulhos, buscando seus bichinhos, brincando de viver.

Vai ser difícil para todos nós, eu sei. A dor de agora não apaga os anos de alegria. Agradeço. E prossigo. E termino com um único intento, compartilhar um pouco do aprendizado que tive com o Vittorio. Se podemos dar amor, se podemos brincar de fazer festa, se podemos estar juntos, por que optar pelo desprezo, pelo ódio, pela ausência?

Vittorio, você foi uma linda presença na minha vida. Obrigado, amigo. Um pedaço de mim se foi ontem, com você. E um pedaço precioso seu vai ficar para sempre em mim. Descanse em paz.

Canção da pausa súbita (um vírus silencioso)

Amanheci antes do dia e me contorci de preocupação.
Há um vírus por aí mudando a vida da gente e fazendo a gente
[pensar.
Ontem, podíamos abraçar, beijar e produzir a nossa arte.
Ontem, podíamos visitar cidades e países.
Ontem, podíamos caminhar nas ruas, parar e conversar com
alguém pelo simples prazer de estar.
Hoje, estamos sós.
Trancados nesse medo de que o amanhã demore mais do que
[o esperado.
Choramos as notícias que nos caem na tela.
Choramos os mortos que não podem ser chorados nos velórios
[sem ninguém.
Choramos os que ainda vão morrer.
Sozinhos.
As ruas estão assustadas. Onde foram parar os barulhentos?
Os que iam e vinham sem saber para onde ir ou vir?
Outros sons tomaram conta dos barulhos.
Há luar.
E é possível ver.
O luar também vê os que não têm casa, os que não podem se
[isolar.
O luar também vê mulheres e homens de branco arriscando a
[vida para vidas salvar.
E também os outros que, enquanto me preocupo, saem para
limpar as ruas e fazer a sua parte na parte que lhes cabe na
[melhoria do mundo.
Há artistas, como eu, que mesmo sofrendo como eu cantam
[em suas janelas para alcançar os solitários.
Ontem mesmo ouvi um som de violino penetrando as paredes
[e dizendo que o amanhã existe.

O amanhã é mais forte que um vírus.
E nascerá mais forte ainda se pudermos aprender.
Os abraços serão mais valorizados. Os encontros mais demorados.
E o amor, o tal do amor que dá razão à existência, será a ins-
[piração necessária para um necessário tempo novo.
Aí sim, cantarei as canções que eu quiser, dançarei a música
[certa, acompanhado.
E direi àqueles que se renovaram: venham comigo, venham amanhecer comigo. Venham amar comigo. Venham sorrir comigo.
De mãos dadas...

O vírus da separação

Deus sabe o sacrifício que fiz para me formar. Nasci numa das franjas desta grande cidade onde só não falta amor. Explico. Sou filho único de uma mãe que não teve tempo de ver a passagem do engatinhar para os primeiros passos. Foi ela tão jovem. O que sei é o que meu pai conta, é o que vejo na foto já esmaecida, é o que imagino. Conto histórias da minha mãe como se as tivesse vivido. Meu pai não teve mais filhos. Ele se casou mais uma vez e, mais uma vez, enviuvou. Mora sozinho, hoje. Decisão dele. É ele bravo o suficiente para prosseguir como quer.

Minha história não é diferente de tantas que romperam a bolha da pobreza e alcançaram algum lugar. E como é difícil romper essa bolha. Desde sempre, quis ser médico. Imaginava que, se minha mãe tivesse um bom médico, não teria morrido. Imaginava muito na minha orfandade doída de uma infância com pouca cor. Sozinho em casa, inventava personagens. Brincava de cuidar dos poucos bonecos que tinha. Explicava a eles o que fazer para sanar as doenças.

Meu pai trabalhava dirigindo ônibus. Despertava antes do dia e voltava extenuado para casa. Era bom o seu abraço da chegada. Na escola, riam de mim, quando eu dizia que seria médico. Sim, há muitos que se ocupam da infeliz tarefa de tentar abortar os nossos sonhos, antes deles nascerem. Fui forte o suficiente para não autorizar. E prossegui. Lembrando-me das tantas mães que, prematuramente, partiam sem ter um médico para lhes devolver um pouco de vida, para lhes conceder o privilégio de ver os primeiros passos dos seus filhos.

A mulher com que meu pai se casou não concordava comigo. Dizia que é Deus quem decide o dia que as pessoas morrem e que médico nenhum pode interferir nisso. O Deus em que eu acreditava desde criança era diferente do Deus dela. O Deus em que acredito é o que nos criou inteligentes e livres para que fizéssemos a nossa parte. Fiz a minha e, com os pés ousados, passei no vestibular da faculdade de medicina. Com as mãos corajosas, recebi o diploma de médico alguns anos depois e, com os olhos fitos na generosidade, comecei a salvar vidas.

Meu pai, meu bom José, acompanhou tudo. E chorou o choro dos que cultivam a esperança. Nunca me desestimulou. Sonhou comigo. Riu comigo das minhas invencionices infantis. Chorou as minhas dores de medo. Abraçou os meus sofrimentos, mesmo cansado dos seus. Ainda hoje, fala de mim com olhos marejados: "Meu filho é um médico, um doutor". E lasca histórias e mais histórias que gosto de contar para ele das vidas que salvo. Moramos na mesma rua. Pude comprar uma casa para mim e outra para ele. Ganho mais do que o necessário para termos uma vida com os confortos materiais de que precisamos. Mas o que me desconforta, hoje, é um vírus. Um vírus da separação. Cuido de tantos e não posso beijar o meu pai. Aperto tantas mãos e as mãos mais preciosas que, por primeiro me ensinaram a caminhar, estão sozinhas.

Prudentemente, deu ele férias à mulher que o ajuda. Melhor que ela fique em casa com os seus. Consegui lhe explicar como se usa o vídeo do celular. E assim temos feito. Acordamos cedo, os dois. Arrumo um café como posso, e ele faz o mesmo. Pelo celular, nos vemos e conversamos. Ele se perde, às vezes, e nos perdemos de ver. Eu explico. Com prazer. Quantas vezes esse homem me explicou a bondade na minha vida?! Coloco uma música ao fundo e sorvemos a quentura do café. E a conversa amorosa entre pai e filho.

O dia, gasto-o no hospital. Ele me espera à noite para nos vermos como nos é permitido pela prudência. Ontem, ele me perguntou quanto tempo esse vírus iria permanecer, me mostrou suas preocupações com os que não têm como se cuidar. Chorou, lembrando-se do bairro pobre em que vivemos. Como estarão se ajeitando? Se pudesse pinçar uma qualidade do meu pai, do meu bom José, diria: "É um homem que pensa nos outros e que com os outros se importa".

Expliquei que vamos sofrer, mas que vamos vencer mais essa dor. Ele, levando a mão ao coração, como se tentasse abafar o seu medo, pediu que eu tomasse cuidado, que eu era tudo o que ele tinha. E chorou. E, sem que eu antes respondesse, prosseguiu dizendo que Deus protege quem aos outros protege.

Acreditamos, ele e eu, no mesmo Deus. No que respeita as escolhas dos homens, mas que os ilumina quando se abrem para a sua luz.

Que a escuridão da separação, do confinamento, ajude as pessoas a caminharem dentro delas mesmas. Caminhos difíceis de serem percorridos. A preguiça esconde o belo. E que, quando novamente pudermos dar as mãos, saibamos valorizar o prazer do caminhar acompanhados.

No dia 19, dia de São José, meu pai fez aniversário. Pela primeira vez, não nos abraçamos. Nossa festa foi nos sentimentos. É assim que tem que ser. O amor é responsável.

O vírus do encontro

Deixe-me explicar, não é de hoje que venho me aborrecendo com a vida. Fui uma mulher que sofreu inteira cada sofrimento. Que se rasgou mais de uma vez. Que chorou até esgotar o dia da dor. E já faz algum tempo. Foi quando decidi viver sozinha. Os riscos fazem parte da vida, mas chega uma hora que é melhor abraçar o que ficou e agradecer.

Tenho um único filho. Viveu ele fora durante algum tempo. Ganhou bolsa e estudou na Inglaterra. O pai dele nunca o reconheceu. Talvez seja eu um pouco culpada. Orgulho de quem não se sente amada, sabe? Queria que ele estivesse comigo por mim, não pela gravidez. Fingi esquecimento. Disse que o amor havia ido embora. Falei o que decidi, sem chorar. E convenci. Vi o homem que eu amava partindo sem compreender. E nunca mais nos vimos.

Tive dois outros companheiros. O primeiro, uma doença levou. Era bom demais para permanecer num mundo tão ruim, foi o que a mãe dele me disse no dia do sepultamento. Não sei por que ela disse isso, mas sou mãe e perdoo qualquer soluço fora de tom em nome de um filho. O outro, fiz morrer em mim. Não recrimino os que são doentes de nascença, mas os que ficam alquebrados pela bebida, desses eu me distancio. Outro choro seco. Disse o que tinha de dizer e despenquei sozinha enquanto a noite me assistia. Um outro, que quase namorei, achei violento demais. Nunca aceitei voz alterada. Nunca. Se cultivo a polidez, dos outros exijo o mesmo.

Não faz tempo, me aposentei. E dediquei os dias na pequena horta, que cultivo no pequeno quintal. Gosto de cozinhar e aceito convites para trabalhos esporádicos em dias de festa. E, assim, gasto minha vida. Tenho amigos. Tenho convites para incursões em passeios felizes.

Faz pouco menos de um mês que meu filho voltou. Voltou e veio para casa. Eu sabia que ele havia se comunicado com o pai, enquanto estava fora. Eu mesma assenti. Quando ele me disse que convidaria o pai para a formatura, eu achei estranho primeiro e, depois, deixei a ele a decisão. Souberam um do outro por circunstâncias da vida. O pai enviuvou há pouco. E um outro brasileiro que estudava com ele era amigo do seu meio-irmão. Que coisa. Por uma foto, se acharam parecidos. Por algumas perguntas, entenderam o que ficou faltando na história deles.

Meu filho pediu a mim que o pai pudesse nos visitar. Eu, como de costume, disse "não". Tenho essa mania. Digo "não" e faço o contrário. Confesso que fiquei dias em preparo na espera dos dois. O maior amor da minha vida, meu filho, e o homem que, por alguma razão, eu fiz partir. Meu filho chegou primeiro. O dia se iluminou em minha casa. Preparei o meu coração para que ele sentisse o quanto fez falta, preparei a casa para que o que é simples se enfeitasse de luz. Deixamos a noite intranquila de tanta conversa que havia para ser conversada.

Disse ele que precisaria ficar de quarentena, que estava chegando de viagem, que os afetos precisariam respeitar alguma distância. Ainda não falavam muito do tal do isolamento social. Mas nos precavemos como conseguimos. E, no dia que se seguia a essa alegria, chegou o primeiro homem que amei. Os dois se olharam como se nunca tivessem deixado de se amar. Pai e filho. Eu olhei aqueles olhares e pedi ao mundo que se ajoelhasse comigo em oração de gratidão. Ele me olhou com medo. O mesmo medo do dia em que determinei que ele deveria partir. O mesmo medo do dia da mentira, quando tive a insensatez de dizer que o amor havia acabado. Os anos não gastaram sua beleza. E, mesmo contra todos os prognósticos, senti um sentimento novamente arrebatador dentro de mim. Ele percebeu. E riu. Pensei que teria que ficar com ele uma semana. A passagem de volta já estava comprada.

Na primeira noite, nos olhamos, conversamos e fizemos nada. Na segunda noite, nosso filho foi dormir primeiro e ficamos nós, acordados. Na terceira noite, soubemos que o melhor era permanecer em casa, enquanto o mundo não vencesse o vírus. Ouvi das vizinhas reclamações. Ouvi reparos de quem não aguenta mais os filhos dentro de casa. De mulheres que não suportam mais os maridos. Li que, em algum lugar, o número de divórcios aumentou. Pois é, eu que vivi das dores, posso dizer que esse vírus me faz ficar em casa com os homens que mais amo na minha vida.

Ontem, enquanto mexia na horta, ele veio descalço e com uma bermuda parecida com a que ele usava quando éramos jovens e quando, pela primeira vez, nos sucumbimos. Disse que nunca me esqueceu. Eu disse nada. Meus olhos disseram. Ali mesmo nos beijamos. Separados do mundo, nos encontramos.

Estou em casa

Estou em casa. Sozinho, com um monte de pensamento que, há tempo, não pensava. O tempo agora é outro. O que faço é acordar e me fazer companhia. Rabisco ideias em mim, revisito dias em que estava acompanhado e me alimento da esperança de que o tempo vai me levar a algum lugar.

Ouço os barulhos que fazem os que ficam nas tecnologias a dizer coisas. Alguns são mais responsáveis. Outros, apenas gritam. Desligo dos sons e ouço o silêncio. Eu havia esquecido o som do silêncio.

Entro em mim com cuidado. Havia perdido o costume. Digo coisas que estavam guardadas em algumas prateleiras esmaecidas pelo desuso. E faço a confissão dos que se perderam por aí. Já não sei quem sou. O que sei é que fui acumulando desnecessidades. De guardados em guardados, os espaços foram sendo ocupados. Vez ou outra, me desfazia de alguma coisa e até de algum sentimento.

Sinto medo, nesses dias. Olho as ruas desertas de uma humanidade frágil. Um vírus calou os abraços, os beijos, os afagos tão necessários. Um vírus interrompeu as visitas, as viagens, as alegrias em grupo.

Que vírus é esse? Por que ele veio? O que ele quer? Não sou entendedor das filosofias e sempre tive cuidado com conclusões apressadas. Só sei que reparo no que os outros dizem e desconfio. Aprendi isso com minha avó, que só pôde estudar na escola da vida e que se fez mestra das observações. "Ouça muito e fale nada, menino", dizia ela, varrendo a sujeira do mundo com suas mãos decididas. O quintal tinha a plantação e tinha a conversa. Falava ela com as flores que davam delicadeza aos dias. Eu achava lindo de ver. Com um lenço, invariavelmente, sobre o cabelo e a pressa nenhuma, ela gastava as manhãs dando vida aos enfeites da vida.

E, depois, o tempo era o do fogão a lenha. Demorava mais para acender, mas permanecia.

Com o tempo, aprendi que, com o amor ou a amizade, assim deve ser. Nada de fogo rápido. Aos poucos. As brasas precisam nos aquecer aos poucos. O amor, para se saber amor, também, não pode ser de afogadilho.

Lembrar minha avó me faz bem. Foi ela quem me criou. Mas essa é uma outra história. Sou grato pelo tempo do cuidado e pelo tempo do preparo.

Não estava preparado para esse tempo. Ninguém estava, penso eu. Os pensamentos se perdem nas inseguranças. Quanto tempo ainda ficaremos assim? Como resolveremos coisas práticas? Contas precisam ser pagas. Trabalhos precisam ser retomados. As carências que já existiam, antes, ganharam mais força. E nada de abraços.

Ouço o barulho de quem está sozinho reclamando da solidão. E ouço o barulho de quem está acompanhado reclamando da companhia. Os insatisfeitos povoam o mundo com suas ausências de sorriso. Nos ausentamos de nós mesmos, nesses tempos que vieram antes do tempo da reclusão. O que hoje nos faz falta, ontem não valorizávamos.

O ontem nos importa para saber de onde viemos. Mas é para onde vamos que deveríamos gastar os pensamentos. O que será do mundo amanhã? Voltaremos aos mesmos equívocos? Nos esqueceremos com pressa do que passamos?

Fiquei com vontade de ir ao quintal. E de ver os barulhos das flores nascendo. Fiquei com vontade de ter esperança. Tudo o que vejo dos barulhos das vozes que se desentendem me desanima, mas, quando olho o que nasce, é outro o sentimento que me toma. Falo das árvores que adornam as cidades de gentilezas e falo dos poetas. Um deles, certa vez, vaticinou: "Cada criança que nasce é uma prova de que Deus não perdeu as esperanças na humanidade".

Estou em casa, acompanhado.

SOBRE ALGUNS OUTROS SENTIMENTOS

O nascer da esperança

Amanhã, a esperança há de surpreender mais uma vez. É sempre assim. Depois do que se vive hoje, há um amanhã.

Um certo João explicou sobre ser uma voz que clamava no deserto.

Naquele tempo. Nos tempos de hoje. O deserto das ausências. O egoísmo nos toma de assalto e fica. E é sobre nós e apenas sobre nós que nos debruçamos. O outro é apenas um dispensável a mais. O deserto das presenças erráticas. O outro me interessa quando interessa. Nada de amizades, mas de adulações e de descartes. Nada de amores, mas de expectativas. Nada de liberdade, mas de trancafiamentos.

O deserto de João se repete hoje. Mas, amanhã, é Natal. E o Menino vem novamente. Sem pretensões de imediatismos. A manjedoura é o coração humano. Metáfora dos sentimentos que nos acolhem. Pulsante coração. Capaz de irrigar desertos e afinar vozes para tempos mais plenos.

Sim, na plenitude dos tempos, nasceu o Menino. Assim está escrito nas Escrituras Sagradas. No tempo certo, para que os homens pudessem perceber os encontros e celebrar a permanência. O Menino nasceu e foi esperançar na carpintaria de José. Foi crescendo e fazendo crescer. Foi amando e ensinando a amar. Foi olhando e desconsertando os que se achavam consertados mesmo vivendo no deserto. Os pretensiosos sempre tiveram dificuldade de compreender a simplicidade do Menino.

O Natal nos traz todos esses ingredientes. A fartura das mesas deveria vir depois. É de fartura de afetos que carecemos.

De olhares que impeçam a invisibilidade, de ouvidos que espantem a surdez. Há gritos implorando por justiça, há gritos pedindo apenas atenção.

Desatentos, comemos e bebemos sem economia. E cobramos presentes. Presenças reais ficam para os que aprenderam a compreender, a sentir, a ver a estrela que continua a nos guiar para que saiamos do deserto.

Amanhã é Natal. Há os que viverão o passado, lamuriosos dos que se foram, olhando os álbuns de fotografias e percebendo os que faltam. Há os que se embriagarão, aproveitando os festejos. Há os que ficarão sem comer, porque não terão o que comer, porque é assim o mundo dos desertos. Mas por que foi mesmo que o Menino veio? Era preciso uma ponte que nos permitisse chegar à outra margem. Onde há água pura, onde há rodas de conversa, onde há crianças que brincam sem medo, onde há mulheres e homens construindo alicerces comuns, comunhão. No outro lado, a felicidade é permanência, e não visitante apressada. No outro lado, o riso não é nervoso nem forçado. No outro lado, a primavera reina absoluta, explicando que o nascimento de uma flor não é obra do acaso.

Todos são convidados, mesmo os que não acreditam muito. Há uma exigência apenas. O Menino não arromba corações. Chega com leveza naquele que quer experimentar o seu nascimento. Para isso, é preciso limpeza. E abertura. Corações abertos pulsam um mundo melhor. E é isso que quer o Menino.

Brincar de eternidade nos momentos que eternizamos enquanto estamos por aqui. Momentos simples. Limpos, porém. As sujeiras nos impedem de receber o Menino e nos impedem de ver a outra margem.

Amanhã, a esperança há de surpreender mais uma vez.

Feliz Natal.

O dia da saudade

O 30 de janeiro é o Dia da Saudade. Assim decidiram. Só não podem decidir que seja este o único dia em que se possa sentir saudade.

Rubem Alves dizia que "a saudade é nossa alma dizendo para onde ela quer voltar". Voltar ao tempo da inocência? Voltar ao lugar em que imaginávamos que todos fossem bons? Voltar à antiga fotografia, quando estava ela completa, quando ninguém havia partido? Voltar ao olhar que tínhamos, quando pela primeira vez nos apaixonamos? Voltar aos ditos envergonhados quando queríamos saber o que depois de algum tempo virou rotina?

A saudade tem o poder de perfumar a rotina? Um andar de bicicleta acompanhado. Depois de termos aprendido. Um nadar de rio. Um procurar quem surgiu e desapareceu. Um tentar entender o sentimento que nos assalta e que muda nosso estar no mundo.

Saudade da paixão. Da paixão cortante que nos fazia provar que estávamos vivos. Um banho de mar. Saudade da primeira vez que vimos a imensidão do mar. Suas águas caprichosas. O ir e vir. O trazer e o levar. O apagar. O recomeçar. Saudade do sol se espreguiçando e anunciando novidades ou de sua despedida. Sabe ele a hora de partir. E lá vêm a noite e seus mistérios. Saudade dos anoiteceres acompanhados. A foto pode estar com alguma ausência, mas a memória a guarda como se guarda uma preciosidade.

Saudade de acreditar em amor. De acreditar em verdade. As mentiras foram chegando, uma a uma, e desmoronando sonhos e nos apresentando pesadelos. Saudade de uma noite de sono bom. Quando a preocupação que tínhamos era um jeito novo de brincar. Apenas isso. Saudade do colo da mãe. Saudade do choro do filho. Saudade das mãos do pai. Saudade do engatinhar. E dos aniversários festivos. E dos natais alegres. E das comidas feitas com temperos de conversas. Era bom estar na cozinha. Os calores nos aqueciam.

Saudade das músicas de ontem, que nos resgatam tempos, que nos rasgam sentimentos. Até dos choros se pode ter saudade. Bob Marley disse sobre a saudade. Que "é um sentimento que, quando não cabe no coração, escorre pelos olhos". Saudade do tempo que veio antes do endurecimento. Chorar era bom quando ainda não tínhamos vergonha de expressar os sentimentos.

Saudade da liberdade. As amarras foram surgindo e nos prenderam desprevenidos. Onde estão as chaves que abrem as fechaduras para que possamos novamente sorrir? Saudade do sorriso. Do sorriso sincero nascido de um gesto simples, de um cotidiano simples repleto de significados. Saudade de não precisar explicar nem entender, apenas viver.

Saudade de dançar sem precisar se comparar com outro dançarino para saber quem dança melhor. Apenas se entregar, se divertir. Sem preocupações nem ameaças.

Saudade de mim, antes das tormentas. Tormentas que talvez tenha eu mesmo autorizado.

E então?

A saudade é sobre o ontem, mas é uma inspiração para o que ainda virá. Sempre vem. Enquanto estamos vivos, sempre vem.

Que o hoje seja como um dia sonhamos. Para que amanhã uma lágrima de emoção nos acompanhe quando olharmos para o que agora estamos decidindo, fazendo.

Hoje também é dia da saudade.

Um dia de sol

A praia é sempre um convite para um mergulho nas delicadezas da natureza. O caminhar contemplativo, o molhar os pés acompanhados de outros pés ou não, o preencher o corpo com o sal que sobe e desce, que vai e vem, o deitar para esquecer ou desejar o que foi ruim ou o que há ainda de surpreender. É assim o mar, com os mistérios de tantas vidas que se encontram, democraticamente, em suas águas.

Quem são as pessoas que vão e vêm e que aproveitam uma pausa para respirar? Deveria ser lindo. Inda mais num dia de sol.

Mas nem sempre é. Pessoas são mais complexas do que as águas salgadas ou do que as areias que se deixam banhar por elas.

Era, então, um dia de sol. E o movimento trazia ondas de pessoas pela rua, pela calçada, pelos quiosques de alimentação. Foi quando vi uma briga. Não dessas assustadoras de arrastões. Não das que envolvem armas de fogo. Eram dois namorados, penso eu. Jovens, ainda. Ele parecia ter se excedido na bebida, ela parecia disposta a revidar à altura.

E começaram a gritar. Algumas crianças correram assustadas. Faziam tranquilamente seus castelos de areia quando ouviram a deselegância. Um senhor tentava intervir. Ela ameaçava bater nele com uma garrafa vazia de alguma bebida. Ele gritava alto, dizendo que sabia que ela o traía. E usava palavras pouco adequadas para quem diz amar.

Ela não deixava por menos. E o ameaçava dizendo que o corpo dela a ela pertencia e que era ela que decidia quem deveria ou não se deitar com ela. Ele chorava, gritando, dizendo que a amava. Ela, tentando jogar a garrafa, caiu. Ele caiu, também. Caíram os dois em suas dignidades.

Estranhamentos em histórias de namoro há, mas não se resolvem em formas de espetáculo. Inda mais em dia de sol. Um casal chegou para ajudar. Ele, depois de ter caído na areia, parecia ter adormecido. Efeito do álcool, talvez. Ela, indignada, dizia que ele era um vagabundo. E foi assim que o casal conseguiu ajudá-los a ir embora. Percebi que eram conhecidos. Trataram-se pelo nome.

E o dia prosseguiu. Outras brigas devem ter ocorrido em outras praias ou naquela mesma. Outros sustos. Outras agressões.

Queria perguntar ao sol, que do alto avistava tudo, a sua opinião.

As baixezas nos roubam instantes preciosos. Histórias de amor, de amor de verdade, não permitem que as ondas do mar retornem de sua chegada sem cumprir a sua finalidade. Rastros precisam ser apagados para que a jornada prossiga. Mas os caminhantes só conseguem prosseguir se tiverem olhos de ver o espetáculo correto do ir e vir de gentes numa praia num dia de sol.

Ainda assisti ao sol se despedir. Outras pessoas, também. Algumas aplaudiram, sorridentes.

Lembrei-me do casal.
E o dia descansou mais uma vez.

Os irracionais

Vivi numa família por algum tempo. No início, eu era novidade. Era cuidado. Riam as mais diferentes risadas. Comentavam uma ou outra estripulia. E eu gostava. Queria ser sempre o centro. Pulava de um lado e de outro. E dividia, com justiça, o meu amor. Levavam-me para passear.

E foi assim que minha história começou a mudar. Achei que se tratava de mais um passeio. Mas era uma despedida. Os tempos de filhote já haviam se esgotado. Eu cresci. E eles se cansaram de mim. Difícil acreditar nisso. Eu me sentia da família. Mas foi isso que aconteceu. Quando me vi naquele lugar em que se deixam os carros e que depois se buscam, eu ainda fiquei esperando.

Os carros, talvez, tenham mais valor. Ninguém os abandona. Já eu. Um cachorro que não era mais novidade, que talvez desse trabalho. Não sei. Sei que nunca deixei de fazer festa quando eles chegavam. Nunca deixei de estar quando me queriam. Deixaram de me querer e fiquei aqui. Sozinho.

Alguns que não conheço me trouxeram água. E passaram a mão na minha cabeça para aliviar as minhas incompreensões. Por que me abandonaram? O que eu fiz contra eles? Outros me deram o que comer. Como não tinha o poder da escolha, resolvi ficar. Não queria incomodar. Decidi que só brincaria com quem quisesse brincar. E que, no restante do tempo, ficaria deitado, quieto, para não desistirem de mim mais uma vez. Não é fácil ser abandonado.

Foi quando alguns deles, ditos seres racionais, aproximaram-se com um sorriso diferente dos sorrisos que sempre gostei de fazer brotar. E um pau de vassoura. Que estranho! Será que vieram fazer uma brincadeira diferente comigo? Mas e esses sorrisos sombrios?

Um me ofereceu o que comer. Comi, sem abanar o rabo. Com alguma preocupação, mas sem o poder de declinar. Comi e comecei a me sentir estranho. E, de repente, fiquei tonto. Não sei se do que comi ou se do bater intermitente da vassoura. Ouvi alguns "fora daqui", sequer tinha forças para obedecer. Comecei a ver o sangue se despedindo de mim. Comecei a parar de ver. Apenas vultos. Vultos de risos e de frases sem sentido. Que sentido tem tamanha violência?

Antes de partir, começo a sonhar com o dia em que cheguei àquela casa e com os risos bonitos que me acolheram. Escuto o meu choro doído ao perceber o abandono. E sinto algumas alegrias que tive com os carinhos de desconhecidos. E agora, entre uma paulada e outra, despeço-me, sem compreender. Ouvi tantas vezes que os humanos são os mais evoluídos dos animais. Que nós somos os irracionais.

Não há mais tempo para nada. Vêm, agora, recolher o que restou de mim. Vão limpar tudo. Porque outros humanos chegarão e não querem ser importunados.

O meu nome? Tenho tantos.

A minha história? Repete-se com mais frequência do que vocês imaginam. Morro sem perder a ternura, morro sabendo que fiz o que pude para fazer mais feliz a vida deles. Morro irracionalmente amando.

É quase Natal – 2018

Amanhã é Natal. Ou véspera de Natal. Então, hoje também é véspera. É quase. Quase é o que ainda não chegou. Ou não aconteceu. Quase ganhou. Quase passou. Quase encontrou.

O Natal é um momento de encontros. Na linda história do lindo menino, a humildade encontrou o aconchego necessário para permanecer. Era o tempo certo. O que aconteceu naquele tempo não ficou naquele tempo.

Os natais da minha infância tinham uma inocência que hoje me faz falta. Aprendi a acreditar na bondade e no humano jeito de Deus se manifestar. Em cada ação de amor, um traço do Criador no desenho de infinitas possibilidades que compõem o Universo. Acalmava-me na bondade do meu pai. Deus habitava aqueles gestos serenos de compreensão. Palavras eram ditas com cuidado. Olhares eram distribuídos sem economias. E sorrisos. Nada de brigas. O tempo ensina o prazer de andar de mãos dadas.

Havia um irmão que cantarolava sem muito compreender o significado da sua alegria. Um avô que cantava em outra língua, a de sua terra natal. Devia ele ter a saudade que hoje tenho, mesmo sem ser avô. Uma mãe que se apressava para acalmar no momento certo, uma mãe cachoeira de afetos. Sem pausas nem preguiças. Havia uma Rosa, sempre há uma Rosa. Os perfumes da infância têm o poder da permanência.

Eu ainda não havia conhecido a perversidade. Confiava sem medo na espécie humana. Sonhava com o crescimento. Imaginava o que seria um dia. O dia chegou. Outros dias chegaram. Realizei alguns sonhos, outros mudaram sem que eu percebesse. Fui me alimentando do possível para prosseguir.

Se olho para os natais que já se foram, tenho necessidade de agradecer. As feridas que se criam não podem sustar os sorrisos. Quantas conquistas! Quantas manifestações de amor!

Os "quase isso", "quase aquilo" não chegaram a borrar o traçado. Tento continuar acreditando que os que agem por mal o fazem não por uma decisão, mas por uma ausência. Esqueceram-se de buscar, no sagrado que mora no interior de todo humano, o que há de mais divino, o amor. E toda escolha que não é por amor não é escolha, é ausência. A liberdade não pode nos levar à escravidão. Os perversos, os que tramam contra um outro humano, irmão do mesmo barro, não encontram a paz.

"Você já viu alguém que faz o mal a outro alguém encontrar a felicidade?", ensinava o meu pai.

O menino que no Natal nasceu, quando cresceu, ensinou o que meu pai aprendeu. Amai a todos. Amai como decisão de vida, como vocação.

Amanhã é Natal. Os álbuns de fotografia teimam em nos lembrar de que há pessoas faltando. Os álbuns de fotografia não têm a consciência da eternidade. Os que se foram de alguma maneira continuam. Enquanto escrevo, posso lembrar os seus gestos, posso ouvir as suas vozes, posso reviver os nossos encontros.

Há algo de triste no Natal. Muita gente diz isso. A tristeza exerce um necessário papel. De nos humanizar. De nos relembrar de que precisamos de colo, de ombros, de dizeres.

Para aqueles que quase perdoaram, que quase alegraram alguém, que quase experimentaram o amor, ainda dá tempo. O menino sorri miraculosamente sempre que o traçado é capaz de fazer nascer a bondade.

Se tenho saudade do tempo em que acreditava, é só convidar aquele tempo para passar o Natal comigo. No tempo que vivo hoje. Junto com os que gostam das mãos que tenho para caminhar.

Amanhã é Natal. Ou quase. Quase não. É. Todo dia pode ser Natal.

É quase Natal – 2019

Estou um pouco perdido no tempo, mas sei que é quase Natal. Há movimentos que rasgam a rotina dos dias. Eles gostam de nos dar o que não temos. Ao menos, no Natal.

Não. Não posso ser injusto. Sou bem tratado aqui. E sempre há alguém para preencher o que nos falta. Falta em mim a memória necessária para contar quem vem. Esqueço nomes e me confundo em perguntas cujas respostas já me foram tantas vezes dadas. Coleciono alguns medos antigos e outros que foram chegando e se aninhando em mim. Tenho medo de chuva. E não tinha. Tenho medo da noite. E da noite gostava quando saía acompanhado ou quando buscava, nos dias de alma fria, algum aconchego. Tenho medo das quedas. Que bobagem! Caí tantas vezes e me limpei e prossegui. Mas hoje é diferente. A memória me falta e, então, não posso explicar. Tenho um filho, apenas. Devia ter tido mais. Ou não. Não sei. O que mora no ontem, no ontem mora, e já não podemos mudar.

Na casa do meu passado, vivia uma mulher linda e um filho cheio de tudo. E dias felizes. Como tive pouco, porque meus pais pouco tinham para me dar, dei em exageros ao meu filho. Bastava um desejo, e eu estava ali para resolver. Na minha infância, era um brinquedo de Natal, apenas. Na dele, era uma vastidão de embrulhos para serem abertos e desprezados. Nada o satisfazia. Queria mais. E assim eu o atendia. Minha mulher dizia que eu o educava mal. Mas era meu único filho. Eu queria que nada lhe faltasse. Eu queria que ele fosse o mais feliz dos homens. Eu queria tanto. E ele queria tão pouco, foi o que me disse numa das últimas vezes que esteve por aqui. Não me lembro de tudo. Lembro que ele pediu que eu parasse de pedir que ligassem. Que nada estava me faltando. E se foi, sem beijos. Eu o beijava tanto. Dizia dele aos meus, que era meu orgulho, que era meu príncipe, que era o melhor nisso e naquilo. E ele se fez homem. E tem seus filhos. Dois. Que também nunca vêm. Eu tenho as fotos.

Tive doenças que me fizeram incapaz de controlar a mim mesmo. Foi quando ele decidiu que era melhor eu viver aqui. Eu concordei. Estava frágil demais para comandar o dia. Assinei o que ele me pediu. Era melhor que ele administrasse tudo. Tudo o que eu construí com anos de entrega. Fui da escassez ao exagero. Da casa simples dos primeiros anos de amor com minha mulher a uma mansão cheia de tudo para que meu filho fosse feliz. Entendia nada de felicidade naquele tempo. Viajou para longe de mim o menino que eduquei com erros. Aprendi rasgado que não se deve dizer "sim" aos luxos desnecessários. Sementes não jorram de mãos enluvadas. É preciso o calo dos plantadores para que os jardins floresçam dignidade. Sem esforço, não há flor nem fruto, nem beleza nem alimento.

Meu filho é um homem que gosta de dar ordens. E que me culpa por pecados que ele decidiu. A mãe morreu pouco antes das minhas recentes fragilidades. Não sei quanto tempo faz, exatamente. Nem sei se tudo o que eu digo é como realmente foi. Sei que tenho saudade.

Ontem, um jovem que nos visita e a quem sempre eu pergunto o nome, me perguntou sobre um presente de Natal. Eu respondi: "Meu filho!". Ele tocou as minhas mãos e sorriu com os olhos. "Que meu filho venha me ver, que meu filho me dê um beijo, que meu filho diga que me ama." O jovem nada disse. Decerto vai ligar para o meu filho. Decerto, se meu filho vier, será para me repreender. De certo, eu não sei nada. Só sei que não vivo na casa dos meus sonhos. Nem na mansão, nem na pequena casa dos inícios onde minha mulher e eu sentávamos no chão e montávamos uma dese-quilibrada árvore cheia de simplicidades para o Natal, e um presépio de papel "alguma coisa", não lembro o nome. E fazíamos amor no chão. Jovens que éramos.

Meu filho não viveu essas delícias. Talvez eu seja o culpado. No seu tempo, era tudo arranjado para que nada faltasse. Faltou uma canção desafinada, faltou um bolo um pouco queimado, faltou um brinquedo só. Eu não sei. Sobre os erros, só se sabe depois. Difícil escolha, a de viver. Quem foi que inventou a liberdade? De acúmulos em acúmulos, fui percebendo o que falta. Nesses tempos de despedidas, as lembranças que me preenchem não são de coisas, são de pes-soas, são de momentos, são de sabores. Que sabor tem uma vida sem amor? Por que minha mulher ficou doente e se foi? Se ao menos estivéssemos juntos, esse canto em que me sento seria encantado. E faríamos amor novamente. Nem que fosse com os olhos.

Estou um pouco perdido em mim. Tenho esquecimentos e lembranças. Que se revezam. O que permanece sempre é a saudade, acho que já disse isso. Se eu pudesse voltar, eu não impediria as frutas de amadurecerem sozinhas. De correrem os riscos necessários. De caírem e permanecerem intactas ou com algum arranhão. Por que não?

Quem sabe meu filho leia os meus pensamentos, perdoe os meus erros e venha me ver no Natal. Sempre acreditei em milagre.

Quem criou a lama?

Foi a pergunta que me fiz em meio a um turbilhão que se avolumou sobre tudo que eu podia avistar. Alguns voaram depois do aviso das vozes. Há sons na natureza que poucos conseguem compreender. Até porque não prestam atenção.

Outros, acostumados à liberdade, atingiram velocidades que superaram a lama. Quando cheguei, deram-me um nome. Deram-me um local seguro, um canil ao lado de onde entravam e saíam. Deram-me comida, água. Algum ensaio de carinho. Deram-me a possibilidade de conhecer algumas ruelas que ficavam próximas. Levavam-me, entretanto, amarrado. Tudo para minha segurança. Era assim que diziam. Para que eu não me perdesse.

Onde foi que se perderam?

Os desesperos diante da lama demonstram que se perderam. Que os humanos se perderam. E nós, com eles.

Os meus irmãos criados livres, livremente se foram. Já nós, que servimos para servir, ficamos juntos com a lama. Estão sacrificando as vacas, as mesmas que foram servas, para que não sofram. É isso o que dizem. Devem estar muito preocupados com o sofrimento das vacas e dos bois e dos frangos e de nós, cachorros.

Quem criou a lama?

A paisagem era bonita. Nos vários tons do dia. As montanhas altaneiras não se alteram, descansam soberanas emprestando seu verde. A água nasce limpa. Sem as sujeiras que vão nela depositando. Os rios têm o seu curso. Mudaram o curso. Mudaram novamente. Construíram barragens. Nos rios e nas pessoas.

Vejo o sofrimento nascido das perversidades. O mal mora nos humanos e, disfarçadamente, vai enchendo de lama o que pode. Pode muito.

Eles nos prendem para que possamos dar alguma coisa a eles. Eles se prendem em busca de alguma coisa que nem sabem. E dizem, na sua língua, ditos de ódio. Entre nós, não há ódio. Apenas queremos viver. Apenas nos defendemos. Apenas prosseguimos.

Entre eles, há uma busca de algo que chamam de poder. Uns sobre os outros. O tal dinheiro, o tal lucro, o tal domínio. Eles se matam por isso. E nos matam por prazer.

Por que nos domesticaram? Para nos prenderem quando a lama vem? Há lama por todos os lados. Morreram muitos. Continuarão morrendo. Não a morte que chega no dia que deve chegar. A morte de todos os dias. A morte matada. A morte dos sentimentos. A morte da sensibilidade. A morte da vida.

Eles estão mortos, mesmo quando estão vivos. Nós nos alegramos facilmente. Um alimento bom. Uma água pura. A pureza de um sopro qualquer. Eles, não. Acostumam-se a ter e, tendo, querem mais. E querendo, destroem outros quereres. E, quando não conseguem, odeiam.

Quem foi que inventou o ódio? E a perversidade?

Gosto do despedir do dia. Porque presto atenção. Gosto dos cheiros que vêm dos verdes. E até dos tons de frio. O calor me incomoda, nem disso eles sabem. Arrastam-me em dias quentes e me queimam para passear. E de mim esquecem quando há outros preenchimentos para um tempo sem comando.

Onde estão agora? Onde está o que guardaram? Para onde foram? Para onde irão? Quem são os outros que estão no comando deles?

A água limpa que estava por aqui se foi. Estou sozinho, esperando que algo bom possa acontecer.

Por enquanto, ouço apenas a tristeza.

A desnecessária.

Frutas podres

Não. Na minha banca não há uma sequer. Sou cuidadoso. Gosto de ver as cores das frutas anunciando a novidade e permanecendo mesmo no esmaecer do dia. Quando vou embora, recolho o que me cabe e descanso com gratidão.

Faço isso sempre. No mesmo lugar. Conversando e vendendo. Sugerindo. Ouvindo histórias. Percebo que algumas pessoas gastam mais tempo que o necessário para ganhar a necessária atenção. Como estão carentes, as pessoas! Estão ou são? Talvez sejam, mas estejam um pouco mais, nesses tempos de tanta solidão. Gosto da conversa. Não me cansa gente que conta, em detalhes, detalhes que, em dias anteriores, já me foram contados.

O que ganho não é muito, mas é bom. Não sou dos luxos. Um relógio caro ou barato marca a hora do mesmo jeito. Não vou jantar três vezes por dia. A roupa que tenho é simples. Minha casa tem o tamanho necessário para nós dois. Minha mulher trabalha em uma escola. É secretária. Vez ou outra, leva frutas para os colegas. Faço questão de escolher, de preparar, de ajudá-la a alimentar de prazer o seu cotidiano.

Os que me conhecem gostam de mim. Digo isso com humildade, mas com reconhecimento de que tive valores em minha casa. Desde sempre soubemos o significado da honestidade. Meus pais moram no interior. O meu interior guarda dias lindos de aprendizagens. Meu pai é romântico sem economias. Ouço a voz da minha mãe perguntando a ele o que deseja para o jantar e sua resposta sem ensaios: "Quem tem o principal não discute o acessório". E minha mãe ria com cerimônias. E ele retirava, de algum esconderijo, uma rosa, a beijava e entregava com sorriso nos olhos. Foi assim que aprendi a sorver o essencial do dia. De cada dia.

Ontem, voltei triste pra casa. Enquanto vendia alguns morangos, vi algum dinheiro caindo do bolso de um senhor. Imediatamente, peguei o dinheiro do chão e lhe avisei. Ele prosseguiu, distraído. Eu corri atrás dele e entreguei o dinheiro. O homem que o acompanhava olhou-me com deboche e lascou: "Se fossem mil reais, você não devolveria". Homem bem vestido por fora. Alto no tamanho. Rico na pasta. E prosseguiram.

Eu permaneci, sem conseguir dar uma resposta. Voltei às minhas frutas. Enquanto as vendia, brigava comigo mesmo por nada ter dito. Claro que devolveria. Sou decente. Que estupidez. Pobre homem descrente do homem. Sei que há os que ficaram podres, porque ninguém deles cuidou. Eu fui cuidado. A água da bondade espantou as sujeiras de mim. Os dizeres corretos evitaram as pragas. Não precisei de remédios. O colo de minha mãe me protegeu.

Contei para minha mulher enquanto comíamos o jantar. Ela ouviu. Eu disse que nada disse. Ela disse que fiz bem. Palavras não podem ser desperdiçadas. Mudou de assunto e falou da homenagem que receberá dos alunos no dia da formatura. Seus olhos estavam marejados de felicidade.

Deitamos abraçados. Seu cheiro me acalma e me anima. É bom dormir assim. Amanhã, vou levantar antes dela e preparar um café diferente, com frutas e uma flor. E um bilhete dizendo, do jeito que sei escrever, o quanto a amo. É minha maneira de homenagear a homenageada.

Saudade dos meus pais.

O comprador de verdades

"Sempre estranhei os que trabalham com pessoas que não admiram. Gastam parte da vida em ausências de realizações. Transformam a rotina em horror."

Ele acelerou o dia para desdizer o que eu havia dito. Foi feroz, como sempre. Olhou para o nada e falou comigo. Tenho a impressão de que meu nome não mora em seu receituário de gentes. Nem os meus olhos. Fala, olhando para o alto. E termina sem terminar. Vai andando, atropelando a delicadeza.

Fico no emprego porque preciso. Não gosto, mas tenho que admitir. Sempre estranhei os que trabalham com pessoas que não admiram. Gastam parte da vida em ausências de realizações. Transformam a rotina em horror. Eu sempre disse isso. E, agora, faço o mesmo.

Ele entra no escritório desincumbido de um cumprimento. E se tranca em uma sala onde coleciona verdades. Ele tem o hábito de comprar verdades à vista. Principalmente, se a verdade que está à venda significa algo contra alguém. Se, ao menos, parcelasse. Se, ao menos, esperasse algum tempo para saber. E, com as verdades em mãos, vai em direção ao ataque.

É usual onde trabalhamos vermos as vergonhas misturadas aos ódios em formas de lágrimas. Falamos pouco. Ele já advertiu que todo o ambiente tem olhos. Olhos de ver o que ele não vê, se apenas olhasse. Se abaixasse um pouco a cabeça e percebesse que não somos inimigos. Foi isso o que ele mesmo disse depois de um dito sem cuidado: "Empregado é inimigo pago, nenhum presta". E se foi. Ruminando a certeza de que gente é um produto que não deu certo.

Em reuniões com externos, ele se traveste de bondade. Sorrisos são distribuídos sem economia. Conversas de quem gosta de conversar. Acenos na porta e esperança de reencontros. Já sozinho, despe-se do que não é seu e se põe a novamente agredir.

"O seu texto está errado." Com cuidado, expliquei que se tratava da citação de um clássico. "Gosto da citação, mas ela está errada! Copie novamente, com mais cuidado." Em sussurros medrosos, fui mostrar o livro com a citação. Estava certa. "Então, tira a citação. Não gosto da citação." E, ao perguntar o que ele gostaria que eu colocasse no lugar, gritou impropérios e se trancou novamente.

Chego em casa em esforço repetido de não rasurar uma história de amor ainda nos inícios. Sou pai recente. Sou marido apaixonado. Sou riso fácil quando se trata de falar da vida. A mulher que amo é, também, leve. Choramos juntos em filmes singelos. Nos amamos sem hora certa. Basta um respiro e nos fazemos um. Somos um. Um e mais um que chegou propagandeando que gente é um produto de amor. Que dá certo quando se compreende o amor.

Refaço as contas das horas que faltam para voltar ao trabalho e tenho vergonha de mim. Não fosse por meu filho, esperaria nada para dizer que não, para agradecer as ofensas, para aguardar outro emprego. Mas não posso. Filhos mudam tudo. E ser pai é um florescer que sempre desejei.

Quando conversava sobre o filho que chegaria com um amigo no trabalho, ele veio em nossa direção e balançou a cabeça em desaprovação. "Que estupidez, tem gente demais no mundo." E saiu sem nunca ter chegado. Quem o educou? O que fizeram dele? Que lodo sujou seu percurso?

Olho para a minha mulher amamentando nosso filho e uma paz me explica que a paciência saberá me dizer o que fazer. No tempo do fazer. Por enquanto, eu posso agradecer pela lua que acaba de iluminar os meus mundos, invadindo delicadamente nossa janela. Minha mulher percebe que é amada e apenas sorri. É essa a nossa verdade. E não foi comprada. Foi em um anoitecer de abril.

Seja bem-vindo, 2020

As horas estão inquietas. E, com elas, nossas sensações de que o tempo vai escapulindo. O ano já se despede. Já se tornou partida, enquanto o outro está à espreita, observando desejos e propósitos. Há lágrimas que se misturam a uma certeza de que tudo vai melhorar. De que é preciso melhorar.

Eu vivo nesse quinhão da história e dele me alimento. Olho o que se foi e encontro razões para agradecer. E também para resmungar comigo mesmo. Deixei escapulir dias de alegria em troca de preocupações desnecessárias. Deixei de compreender a efemeridade das coisas e, por isso, me permiti a tristeza. Esqueci de cultivar os amigos por medo de suas ausências. E assim fui me ausentando de pessoas que me colorem a alma com a tinta do amor.

Vivi decepções. E não foi privilégio meu. Há tantos que se perdem no ano. Mas que não podem traçar a régua das nossas crenças. Creio no ser humano como complemento meu no existir. Creio como quem crê que laços não se desmancham por decretos de outros. Quero entrar no ano novo de mãos dadas. Comigo e com os que não se importam com os tantos defeitos a que ainda não pude renunciar.

Reconheço os amigos por detalhes que aprendi a reparar. Se olham nos olhos, se escutam as dores, se sorriem com sinceridade, se se dão bem com o silêncio. E, então, eu vou me entregando. E revelando, pouco a pouco, os textos que escrevi preenchendo as lacunas do mundo. Do meu mundo. Ou do mundo que se alarga quando dou autorização para que outros possam entrar.

Os outros anos e este que se encerra foram me ensinando a ser mais cuidadoso. Não sou das brigas. Não gosto dos gritos que exigem reparação, mesmo quando sinto que tenho razão. A razão me convence a partir e a aprender com os erros dos outros e com o meus próprios.

Errei muito neste ano que se despede. E, certamente, errarei no que ainda nem nasceu. Mas também acertei na convicção de que não desistirei de cultivar os afetos, de me entregar ao amor, de chorar nas despedidas, e de receber descalço os que quiserem caminhar comigo.

Com os pés no chão, olharei para o que vem pela frente. Se não conseguir ver, imaginarei. Sonhos movimentam gentes. E mudam mundos. Quero um mundo novo no novo ano. O meu e o de todo mundo. Quero me ausentar das confusões dos perversos e me sentar nas relvas simples para ouvir histórias. E aprender.

Sempre gostei dos fazedores de história. Ninguém faz história sem prestar atenção. Ninguém muda o mundo sem prestar atenção. Quero me livrar dos desatentos. Por favor, não me entendam como um desprezador de gentes. Não é isso. É que o tempo é tão caprichoso que só nos permite escolher alguns acompanhantes. E foi ele mesmo, o tempo, que foi me ensinando a perceber que esses acompanhantes me ajudarão a conhecer a paisagem. E a me levantar quando necessário para nela interferir. E me convidarão a passear, sem pressa, pelos tempos que me fizeram ser quem sou, quem somos. E estarão comigo, em silêncio, ouvindo o sol se despedir. E a saber retirar a poesia do cheiro da chuva que beija a terra e que alimenta o que nem vemos.

Quero voltar a conjugar o verbo agradecer. Conheci a gratidão quando ainda vivia em um interior e via as lágrimas dos cultivadores da esperança dobrarem os joelhos e acenderem a fé. Procissões lindas. Orações de quem acredita.

Será melhor. A vida será melhor depois dessa passagem. Os acúmulos de aprendizagens nos ajudarão a errar menos. E, se errarmos, que não seja um erro que traga dor a quem amamos ou a quem deveríamos amar.

Troquemos de roupa, então. E nos perfumemos com a limpeza necessária de quem só quer fazer o bem.

E preparemos uns dizeres novos para o ano novo que está nascendo.

Seja bem-vindo, 2020, há muita gente esperando por você.

Pedaços de bondade

Foi minha filha quem comprou a passagem. Ela mora no Recife e faz algum tempo que insiste comigo que eu vá.

Tenho medo dessas modernidades. Gosto de andar a pé ou de ônibus ou até de carro. De avião, nunca andei. Mas o Recife fica longe. E ela pediu muito. Depois de me fazer tantas vezes de desentendida, ouvi um dizer mais forte: "É meu aniversário, mãe! Venha! Me dê esse presente".

Como é que eu iria dizer que não? Filha boa, a minha. Estudiosa. Trabalhadora. Cuidadosa dos meus sentimentos. Perdi meu marido muito cedo e foi ela a minha força para abrir as janelas e prosseguir. Casei-me novamente. João Vicente não é de muita conversa. Gasta os dias trabalhando ou ruminando o silêncio. Eu sou da fala. Minha filha diz que eu não economizo nas palavras, conto cada detalhe das histórias. João Vicente só escuta. E acho que gosta, senão não estaria comigo. Ou se acostumou. Sei lá.

O aeroporto é muito grande. Demorei para entender o caminho. Fizemos uma mala para os dois. Com as nossas coisas para poucos dias. Passamos uma noite sem dormir. Ansiosos. E lá fomos. O Reis, taxista amigo, nos levou. Explicou mais ou menos o que teríamos que fazer. E fizemos. No nosso tempo. Com os nossos descuidos.

A tal da máquina ficou apitando. Eu tirei os brincos, como mandaram. Tirei a corrente. Mas não percebi que havia umas moedas no bolso. Pedi desculpas. Quis explicar que eu tinha recebido de troco da feira e que era o mesmo vestido de então. A mulher, simpática, pediu que eu prosseguisse. Havia gente esperando. Acho que atrapalhei.

Demoramos para entender onde ficava o nosso voo. Todo mundo com muita pressa. Eu perguntava e eles mandavam eu olhar para um lugar cheio de palavras e de números. E eu não achava. Achei uma boa alma que me ajudou.

Sentamos e esperamos. Disseram que era para entrar em grupos. Eu não sabia qual era o nosso grupo. Fui perguntar para a mulher, mas era tanta gente perguntando tanta coisa que ela não me viu.

Entramos na fila. Grupo errado. Mandaram voltar. Fiquei com vergonha. É triste não saber. Voltamos. Outra fila.

Entramos no avião. Eu estava nervosa e o João Vicente, quieto. Sentamos onde estava vago. Meu coração batia diferente. Um tremor foi me avisando que não teria tranquilidade. Fechei os olhos. E alguém disse que estávamos sentados no lugar errado. Eu disse que não havia ninguém. Ele disse que não havia porque ele não havia chegado. Eu perguntei se tinha lugar certo. Ele me chamou de muito estúpida e mandou que eu levantasse. Eu perguntei onde deveria ir. Ele riu do meu não saber e se fez de melhor do que eu.

João Vicente só olhava. E meneava a cabeça de um lado e de outro. Foi quando uma mulher pediu que ele tivesse calma. Perguntou-me se estava fácil encontrar a minha passagem. Eu disse que sim. Mas não achava. Comecei a chorar. Estava atrapalhando a fila. Ela me disse que eu ficasse tranquila. Achamos a passagem e ela nos conduziu até onde deveríamos nos sentar. O homem, irritado, reclamou da mala. João, que nunca diz nada, me disse que estava perdendo a cabeça.

Fiquei nervosa. Um nó no estômago ou na garganta. Não sei explicar direito. Me senti burra. Me senti mal. Mas tive que dar um jeito por ele. E o acalmei com um beijo.

Nos sentamos. Meu coração temia por outros erros. Mas Rita, a mulher que nos ajudou, trouxe outros pedaços de bondade. Dividiu conosco seu chocolate. Falou que era muito seguro viajar de avião. Trocou de lugar para se sentar perto de mim. Ouviu com amor as tantas histórias que resolvi contar. E, eu juro, ela estava gostando de ouvir.

Quando o avião foi levantar voo, pedi a ela para segurar sua mão. Ela consentiu. Depois, tudo se ajeitou. E eu até gostei de ver tanto azul num céu maior do que eu jamais tinha visto. Comentei com o meu marido, que até sorria de emoção. Íamos chegar no Recife. Íamos ver minha filha. Íamos sentir mais calor. O medo foi embora no sorriso de Rita. Ela nos acompanhou até a saída. Disse para minha filha que queria uma mãe como eu. Tive vontade de chorar. Dessa vez, de emoção. Sim. Tem gente boa no mundo!

Lavando as ideias

Sou eu mesma quem abre o salão. E não é de hoje. Desde os primeiros dias, quando ainda brincava nos primeiros cortes das primeiras amigas que se arriscavam comigo. Hoje, tenho duas assistentes. Que cortam com afinco. Foram aprendendo. Como tudo na vida, o tempo vai limpando os exageros e deixando o que importa.

Gosto de acender a beleza nas pessoas. Enquanto lavo os cabelos, vou lavando as ideias. Deixo que falem. Ouço sem pressa. Vou concordando nos inícios. É importante, o tempo me ensinou. E, aos poucos, vou colorindo com algum novo cenário os tantos dramas que ouço.

Há uma troca de confiança. Nada digo de uma à outra. Os mexericos sempre povoaram lugares frequentados por muitas pessoas. Mas eu tive uma avó que nos ensinava contando histórias e plantando moral em nossas mentes infantis. E uma delas era sobre o amor que se partiu em pedaços por causa de uns diz-que-diz-que invejosos. Minha avó não nos explicava as histórias. Contava e dava uma pausa. E nos olhava como acreditando que o resto perceberíamos sem dificuldade.

A vida é difícil. Sempre soube. Não vou, aqui, abrir a minha caixa de lamúrias. Teria tantas. Tantas sujeiras vieram incomodar os meus dias. Algumas não se foram com facilidade. Não inventaram um shampoo mágico que desanuviasse os dias ruins. É preciso ir lavando. Isso, sim. Nada de acúmulos. Nem de posses, nem de sujeiras.

Ouço histórias de pessoas apegadas. Bobagem. Nascemos nus. Apenas com um sopro de possibilidades. O resto era para irmos ajeitando o nosso estar na vida. Não para nos preencher de indelicadezas nem de pesos que só têm a função de atrapalhar.

A mente é assim também. Se não prestarmos atenção, os dias vão se afundando em medos e em traumas de outras experiências que nos diminuíram. O que digo, quando opinião me pedem, é que tentem aproveitar os erros, as machucaduras, para o fortalecimento e não para a desistência. Se a traição foi na amizade, serviu apenas para a persistência no propósito de nunca trair. Se o amor doeu demais, serviu para tomar cuidado para não criar dor em quem se ama. Se a humilhação veio de onde se ganha o pão, que o aprendizado seja o de não pisar sobre o futuro de ninguém. E é isso. O resto é colecionar sujeiras.

Estou perto de completar sessenta anos. Não sou de inventar uma outra idade, mas garanto que pareço muito mais jovem. Talvez seja a minha alegria. Talvez seja o meu hábito de limpar a mente e de autorizar o novo dia a vir sem medo.

Os traumas de ontem desautorizam a chegada dos amanhãs. E eu gosto de pensar que amanhã é um novo dia. E gosto de abrir o meu salão para trabalhar com os embelezamentos. E gosto de dormir cansada e de rir de algumas histórias estranhas que ouvi. Meu marido, que se aposentou há pouco, ensaia outro trabalho. Resolveu aprender carpintaria artística. Não sei se é assim que se diz. Mas ele fica esculpindo umas cadeiras com detalhes de amor. Ele desenha, nas mesas, espaços de encontros. Fica horas imaginando e, depois, parte para a ação. Semana passada, ele estava criando umas sombrinhas estilizadas. Disse que seria bom presentearmos as melhores clientes do salão para que pudessem se proteger das chuvas com bom gosto.

Tudo em casa é de bom gosto. Não. Não me peçam que seja modesta. Sou honesta. O que temos foi escolhido. A nossa história foi uma escolha também. Também nós, meu marido e eu, tivemos que limpar muitas sujeiras. Brigamos, algumas vezes. Chegou um dia em que desistimos de desistir e resolvemos que estar juntos era melhor. Se um briga, o outro aguarda. Quanto aprendizado mora em alguns instantes de silêncio. Não se fala nas brasas. Elas queimam. Machucam, se insistirmos nelas. Mas, depois, se enfraquecem. E, aí, basta que se limpe as cinzas.

Nossa casa é branca, assim como o salão. E há quadros pendurados nos lembrando de paisagens belas. As fotos que nos enfeitam são felizes. Momentos assim devem ser eternizados. Os outros, que passem como passam as águas que limpam os cabelos e preparam um penteado novo.

Amanhã é dia de casamento. Agenda cheia. Conversas e esperança. E, à noite, vou a um baile com o meu marido. Aqui mesmo, no bairro em que vivemos. E, depois, espero que, mais uma vez, ele me surpreenda.

As cinzas de todo dia

Saudade é um sentimento que abre a alma. Definitivamente. É como se o presente me trouxesse obrigações de fechamento. É como se a árvore, sabedora de tantos afazeres, de sombras, de pássaros descansantes, de flor e fruto, se esquecesse da raiz. A saudade é a lembrança da raiz. De onde vem o nosso alimento, dos alicerces da nossa construção. Saudade do meu pai e de seus dizeres que acalmavam o dia.

Eu era pequeno quando fomos à cerimônia da Quarta-Feira de Cinzas. Igreja repleta dos que, dias antes, brincavam o Carnaval. Uma mulher explicava ao filho, que parecia estar ali sem vontade, que era uma obrigação: "Quem pula Carnaval tem que colocar as cinzas". Eu não entendi. Olhei para o meu pai que, com o Pai, conversava de olhos fechados. Peguei em suas mãos e esperei. Ligado pelo amor, ele abriu os olhos e sorriu para mim. Era lindo o sorriso do meu pai. Quis entender. Perguntei sobre as cinzas. Ele beijou as minhas mãos como se dissesse que, no tempo certo, eu saberia.

Fomos à fila, um a um o sacerdote colocava as cinzas e nos dizia que lembrássemos que somos pó e que ao pó haveríamos de voltar. Continuei sem entender. A mãe e o filho, que ali estava a contragosto, também receberam as cinzas. E também os outros. Tive coceira na testa, mas não sabia se era permitido ou proibido tocar onde as cinzas descansavam. Fiquei olhando para o meu pai. Uma cruz o marcava. Olhei para a frente da Igreja, uma cruz recebia um corpo de homem que simbolizava o amor do mais belo dos homens por nós. Era isso que eu havia aprendido com uma senhora que nos catequizava.

Missa terminada, fomos para casa. Minha mãe estava cuidando do meu irmão. Padecia ele de alguma doença que logo foi embora. Chegamos. Meu pai beijou a esposa com a delicadeza de todos os dias. Retirou um pouco das próprias cinzas e fez o sinal da cruz no filho e na mulher. E eu, então, repeti o gesto. Assim, consegui coçar a testa. E voltei a perguntar pelo significado.

Meu pai não era um profundo conhecedor das teologias, mas era um praticante do mais lindo cristianismo. Fé e obras. Sua oração era como chuva em dias secos. Era lindo de ver. Os olhos se fechavam para que o sorriso explicasse que ele estava em paz, que nós estávamos em paz. E os seus feitos, nos cotidianos, demonstravam que funcionava. Nada de indelicadezas. Nada de perversidades. Meu pai era um homem que testemunhava que o bem traz felicidade, mesmo em dias frios. Deu a explicação que pôde. "Humildade, meu filho. Todos nós nascemos e todos nós iremos morrer." Mas e as cinzas? E ele repetia me convidando a ser bom. Aprendi, depois, que humildade vem de *humus*, terra. Viemos da terra. Da mesma terra. Somos partes de um mesmo sopro. O sopro que gera a vida e que dá à vida a liberdade de existir. E de ser ou não humilde.

Depois, aprendi a ler poemas. Na "Tabacaria", Fernando Pessoa começa dizendo que "não sou nada, nunca serei nada", e depois prossegue: "A par isso, tenho em mim todos os sonhos do mundo". Meu pai tinha todos os sonhos do mundo, por isso sorria tanto. Gostava de construir casas e amizades. Falava manso para não incomodar. Andava devagar para não apressar os que já estavam cansados, abria o dia agradecendo em oração.

Faz tempo que ele se foi. Mas não sou das espécies de árvores que se esquecem da raiz. Não sou nada e sou um sonhador. Ou tento ser. Na Quaresma, ele nos ensinava a arte da espera e da preparação. Não é fácil esperar, porque temos o errático hábito de querer dominar o tempo. E a preparação exige a tal da humildade, tão esquecida nos dias de hoje. Ontem, eu era criança e aprendia. Hoje, eu tento reaprender o que acabei esquecendo. Ah, dias intensos. Ao contrário de meu pai, ando apressado e, por vezes, desperdiço o que há de melhor na vida.

Meu pai tinha mãos grandes e nelas cabia toda a generosidade do mundo. As cinzas não servem, apenas, para Quarta-Feira de Cinzas. Todo dia é dia de lembrar que não somos nada e que, ao mesmo tempo, podemos sonhar. E que, sonhando, mudamos o mundo.

Minha alma está aberta. Sentimento bom, esse que resolveram chamar de saudade.

Anjos de escola

Estou cansada. Triste. Queria ter feito mais. Mas quem sou eu? Não tenho o poder dos poderosos. Não tenho como entrar na mente das pessoas e impedir que elas façam o mal. Não tenho nem o poder de decidir o que as crianças precisam aprender na escola.

Fico matutando comigo mesma: mandam decorar tanta coisa e não se preocupam com o que é mais importante. Essas crianças não têm amor dentro de casa. Eu sei disso. É muita violência e pouca conversa. Os pais jogam os filhos na escola e acham que a responsabilidade não é deles. A escola faz o que pode. E é tanta mudança de orientação do povo que tem poder, que fico com pena dos professores. E como eles traba-lham! Conheço tantos que dão a vida para que seus alunos aprendam, para que cresçam, que ganhem confiança, que sejam felizes.

Eu sou uma mulher que, há anos, trabalha alimentando crianças. Sou merendeira. E gosto do que eu faço. Aqueles olhinhos em busca do que eu tenho para oferecer. Alguns são muito educados; outros, mais calados; outros estão perdidos. Mas alimento a todos, sem distinção. O que aconteceu foi a coisa mais triste que já vi. Que ódio tinham aqueles dois? O que foi que houve? Alguns dizem que é por causa das famí-lias sem amor. Outros que é o tal do bullying que sofreram na escola. Outros que é por causa de uns jogos desse negócio de computador que faz com que fiquem matando o tempo todo. Eu não sei. Só sei que foi muito triste. Tem gente que defen-de que todo mundo deva ter armas. Eu não. Isso não é certo. Gente armada fica mais perigosa. Tem tanta briga por aí.

Gente que fica com a cabeça quente e, depois, passa. Imagine todo mundo armado. Meu Deus! É só pensar um pouco.

Eu consegui salvar muitas vidas. Eu e as minhas amigas merendeiras. Conseguimos esconder as crianças. Conseguimos proteger as suas vidas. Mas algumas vidas se foram. Estavam aqui e não estão mais. Fico pensando nos pais chorando. Imagine uma mãe recolhendo as bonecas da filha, arrumando o quarto, juntando as coisas. Imagine a conversa deles na sala. Não. Não está certo. Deus não quer isso. Sou muito religiosa, sabe? Mas não sou das que acreditam que tudo o que acontece é por vontade de Deus. Deus deu a liberdade ao homem. E esses erros, esses crimes horríveis, são cometidos pela ausência de amor.

Há muito egoísmo por aí. Muita gente que ninguém vê. E que clama por socorro. Eu presto atenção. Quando vejo uma criança mais triste, puxo conversa. Sei de cada coisa! É pai que bate em mãe. É pai que chega bêbado em casa. É mãe que não queria ser mãe e que reclama o tempo todo. É criança que já sofreu todo tipo de violência. Sabe o que é um padrasto se aproveitar de uma menina e a mãe, bêbada, nem tomar conhecimento?

Pois é. Ninguém nasce bandido, não. Deus não faria isso. Vai ficando. Minha mãe sempre me disse isso. A gente tem que dar o exemplo. Com a graça de Deus, minhas filhas são ótimas. Claro que não são perfeitas. Mas elas confiam em mim. Tudo elas me contam. E a gente conversa. E, se precisar, choramos juntas. Meu marido faleceu não faz muito tempo. Essas doenças não mandam recado. Vêm e levam. E tem a doença da alma. Aqueles dois estavam com a alma doente e ninguém viu. Tem muita gente com a alma doente.

Estou cansada, sim. Não foi um dia fácil. Quando a polícia chegou, nos abraçamos e choramos muito. Quando eu vi os corpos dos que não conseguimos salvar, chorei mais ainda. Chorei pelas crianças que mataram também. Quanta tormenta na mente delas! Quanta dor! E suas famílias?

Não. Não quero julgar ninguém. Quero rezar, isso sim. Rezar e agir. Precisamos plantar mais amor. Uma escola tem que ser um espaço de paz. Que os Anjos nos inspirem, nos guardem, nos protejam. É o que eu posso desejar. É o que eu posso fazer.

Amanhã, eu volto para trabalhar. Que seja um dia bom. Se eu pudesse colocar pitadas de amor na comida...

Devolvam meu sorriso

Pensei em falar para minha mãe, mas tive vergonha. Ela também tem dentes ruins. Meu pai nunca está em casa. E, dele, tenho medo. Para ele, falo nada.

Os amigos riram de mim. Os da minha classe. Senti a dor e guardei o choro para quando estivesse a sós comigo. E, no quarto, chorei arrependido da vida. Depois, tomei um café requentado para esquecer. Essas coisas não se esquecem.

Foi o Ricardo quem começou. Faz algum tempo. E é sempre quando chego. Ele levanta e me oferece bala. Para aliviar o cheiro. E os outros riem. E ele pede que eu abra a boca. Para um experimento necrológico. É o que ele diz. Diz que tem muito bicho morto dentro de mim. Não abro a boca. Apenas me sento e desejo o fim. E os outros fazem nada. Riem apenas. Um ou outro murmura um "tadinho". E é só. E voltam ao dia.

Prestar atenção à aula? Como? Se tudo dói? Minha alma dói. Quando penso em pedir à minha mãe para ir ao dentista, desisto. Dinheiro é fruto que não brota em casa. É tudo tão contado. Pesquisei lugares em que dentistas atendem quem precisa. Tenho vergonha de ir. Se é verdade que meu cheiro é tão ruim, o que pensarão de mim? Mais risos? Mais ditos desrespeitosos?

Pensei em mudar de escola, queria era mudar de mundo. Queria um mundo onde o riso fosse permitido, independentemente dos nossos defeitos. Queria um mundo em que ninguém precisasse passar pelo que eu passo. Queria um mundo em que uma mãe pudesse amar o seu homem sem medo. Meu pai é violento. Sempre diz que vai mudar. E permanece o mesmo. E minha mãe sussurra com os seus santos de devoção que não aguenta mais. Por que ela não muda? Talvez porque, como eu, também tenha vergonha.

O cheiro de tristeza ronda minha casa sem descansos. É raro ver o sorriso de minha mãe. Seus carinhos me visitam quando ela se lembra. Anda esquecida, a mulher que tanto amo. Anda sofrida, certamente. E espera de mim um amanhã com mais sol. Pobre mãe, mal sabe ela a vergonha que sou.

Futuro é um lugar que não cabe na minha prateleira. Há muitos entulhos de ontens, muitas humilhações que me lembram que sou nada. Sou apenas um cheiro ruim. Em algumas noites, converso com o tempo, pedindo que não seja tão vagaroso. Quero cumprir o que tenho que cumprir e ir embora. Minha mãe acredita em Céu. Eu também acredito. Não poucas vezes pensei em antecipar a partida. Em dar fim ao cheiro ruim que sou. Mas e minha mãe? Quem cuidará de suas feridas? Se não fosse por ela, eu deixaria alguns dizeres e iria embora. Se não fosse por ela, eu não seria.

Há um professor que me enxerga. Ele também me ensina a prosseguir. Amauri nos ensina uma matemática da vida. Os números também têm sentimentos. Uma agressão com outras agressões, mesmo que simbólicas, somam perigos que destroem vidas. Um sorriso somado com um cuidado somado de atenção devolve alguma esperança Amauri diz que eu deveria ser arquiteto. Isso eu disse para minha mãe, que ficou orgulhosa. E que enxugou, com o dia, as lágrimas que a noite anterior depositou.

Na semana passada, Amauri me falou de um dentista a que ele foi, primo seu. E sorriu, mostrando os dentes. Eu fechei ainda com mais força a minha boca. Não queria decepcionar o único que me via. Deu-me ele um olhar e uma luz. Falou sem falar que compreendia o meu sofrimento. No mesmo dia, contou ele uma história de um aluno que deu fim à vida porque não aguentava mais as pequenas ranhuras que lhe faziam na alma. Falou sobre a palavra compaixão. Falou sobre o riso errado de quem ri da dor do outro. Jamais alguém pode ser feliz sobre a miséria de outro alguém. Nada disse sobre mim. Mas percebi que o silêncio daqueles alguns poderia fazer brotar um pouco de respeito. Ricardo, nesse dia, nada me disse. Nem bala ofereceu. Apenas me olhou. Talvez seja ele tão triste quanto eu. Talvez faça o que faz com a ignorância de se imaginar feliz.

Amauri é um professor feliz. Sinto isso quando ele nos olha e inicia a sua dança de números e de sentimentos. Vou com ele ao dentista. Vou, sim. E, depois, voltarei a sorrir. E, um dia, serei um arquiteto cuidador de espaços e de gentes. Um dia, minha mãe voltará a sorrir. Não. Não vou desistir da vida. É aqui, onde moram as minhas dores e a minha vergonha, que eu devo ficar. O inverno já me avisou que está chegando ao fim.

Recordar

Faz quase nada que aprendi o significado desta palavra.
Aprendi de ouvir. Tenho esta compreensão da vida: ouvir!
Ouço o que me dizem, sem a pressa dos que muito sabem. Ou
pensam que sabem. Ou, apressados que são, sequer pensam.

Eu ouço porque ouvir é amar. É se esvaziar de argumentos e
aguardar os ditos de alguém até o fim. É amaciar o dia com a
voz que precisa dizer. A voz que se enfeita com as palavras.
Palavras que são retalhos de poder. Que ora embelezam, ora
afugentam o dia. Dias fugidios são os que nos retiram de nós
mesmos. E ficamos a esmo, a sofrer de um sofrimento que nem
sabemos de onde vem. Quando sabemos, é mais fácil arrumar.

Acordei antes do dia. E pensamentos começaram a decidir o
fim do descanso. Só os olhos continuavam fechados. O resto se
abria com palavras que iam se derramando sem economias. E
que significavam coisas que ficaram por fazer ou que trouxeram dor. Os dias passados continuam morando no dia em que
estamos vivendo. E podem nos incomodar.

Foi, então, que me lembrei do que ouvi. De um tal Henrique,
amigo de um filho meu, resistente no sonho de ser professor
de literatura. "A literatura é a história dos sentimentos. Das ex-
pressões de amor e dor, dos encontros encomendados ou não,
das palavras que ficaram guardadas numa estante de receios
e que não foram ditas. Dos desertos que têm sua finalidade.
Mesmo que seja para valorizarmos a água que não é miragem
e que ameniza a sede."

Com sede, resolvi me levantar. Tomei alguma água. E sentei
no que me incomodava. E me lembrei de Henrique e de seu

texto no final do jantar. "Recordar é voltar a passar pelo coração", foi mais ou menos isso o que ele disse. "Re" vem de memória, e "cor" vem de coração.

Dizia ele que os romanos achavam que a memória morava no coração e não no cérebro. Não sei onde mora a memória. Sei que, em algumas noites, ela persiste em roubar as minhas pausas. E não me faz bem.

Pois bem, resolvi experimentar. Sentada que estava nas lembranças ruins, ousei um outro sentir. Comecei, então, a recordar. E assim fui fazendo as pazes com os ontens. Sem muito esforço, me encontrei sorrindo. Notícias belas estavam em mim. Escondidas, talvez, em meio a tantos outros anúncios. Fui procurando. Meus filhos brincando de crescer. Um dia de sol numa praia qualquer. Um pedido inesperado. Um luar. Lembrei de minha mãe e de seus textos de sabedoria. Da paciência, que é outra palavra que me encanta. Tento com sucesso espantar o indesejável com momentos lindos que ainda vivem em mim. E, assim, me deito. E volto ao sono. E sonho um sonho bom. E desperto melhor.

Enquanto preparo o café, sinto o cheiro do que me faz bem. Ouço vozes que vêm do quarto dos meus filhos. Coloco o pão para esquentar. Há sempre uma flor nova enfeitando. A mesa está posta. E, de novo, me recordo de que sou mãe. E que mãe sou por decisão. Meu marido não vive mais por aqui. Faz algum tempo. Mas nada de lamentar a troca. Fez o que desejou fazer. Enquanto esteve, foi bom. E é isso que me resta pensar. Chegam eles, os dois, cheios de amanhãs. Um meio sonado, o outro mais falante. Como não celebrar?

Até a chuva, que anunciava que ficaria, se foi, recordando-me que sempre, escondido ou não, há sol.

Sobre a mentira e a verdade

Numa aula, um aluno me perguntou se eu acreditava no ser humano. Argumentou que a perversidade e a mentira eram mais comuns que a bondade e a verdade. Que bastava que eu olhasse as redes sociais ou prestasse atenção aos dizeres agudos de pessoas destruindo outras. Na política. No mundo empresarial. Nas conversas. Sempre há uma tentativa de diminuir o outro. Raramente, justificava ele, encontramos pessoas que gastam tempo elogiando alguém.

Ouvi-o com atenção. Concordei em parte. Infelizmente, por todos os lados há atiradores de pedras. Tão lindo o ensinamento de Jesus quando homens que se achavam donos da verdade e da pureza estavam com pedras nas mãos para atirar na pecadora. O olhar de Jesus àquela mulher incomodou os homens. Ela era uma pecadora. Quiseram saber o que fazer e Ele iluminou a lei que eles diziam seguir: "Quem não tem pecado, que atire a primeira pedra". Jesus revolucionou os costumes, aproximando-se daqueles que viviam à margem. Mulheres, crianças, estrangeiros, leprosos, pecadores. Pecadores são todos, mas alguns se vestem de puros para achincalhar os outros.

Há muita mentira e perversidade, sem dúvida. Há gente que se dedica a isso. Infelizes. Pessoas atormentadas que intentam apagar o brilho dos que se destacam. Meu aluno tinha razão. Mas é preciso ir além na compreensão do ser humano. Somos seres da verdade. É a verdade que nos liberta, nos sereniza, nos prepara para viver em harmonia. O resto é distúrbio, engodo, desperdício. Se alguns se perderam nas sendas da mentira, há outros que nos inspiram a continuar acreditando no ser humano. Disse-lhe: "Sou professor e o dia em que eu desistir do ser humano, desistirei do ofício que abracei". Professo a certeza de que estamos sempre em construção e de que compete a nós educarmos uma geração que conheça a própria essência e que faça da vida uma ação generosa. Não há felicidade longe disso. Nem humanidade. Por isso nos desenvolvemos na convivência e aprendemos que cuidar e não apedrejar é o que nos realiza.

Em www.leya.com.br você tem acesso a novidades e conteúdo exclusivo. Visite o site e faça seu cadastro!

A LeYa também está presente em:

 facebook.com/leyabrasil

 @leyabrasil

 instagram.com/editoraleya

 LeYa Brasil

ESTE LIVRO FOI COMPOSTO EM PALATINO,
CORPO 12PT, PARA A EDITORA LEYA.